中高生の悩みを「理系センス」で解決する

Kaoru Takeuchi

竹内 薫

PHP

はじめに…楽しみながら「理系センス」を身につけよう！

「理系センス」というと、自分には無縁なものと感じる人が多いのではないでしょうか。

「自分は数学が苦手だし、『理系センス』なんてぜんぜんない……」

「大学は文系の学部に進むつもりだから、あまり必要ないかも」

そんな声も聞こえてきます。

私は、そんなみなさんに、「『理系センス』は身につけておいたほうがいい」とお伝えしたいと思っています。

「理系センス」とは、理系的なものの見方や考え方といったもので、文系の人でも身につけることが可能なものです。そして、「理系センス」を身につけることは、問題の「解決力」を高めることにつながります。

何か問題に直面したとき、「数字を使う」「論理的に考える」などの「理系センス」を働かせることにより、問題を解決する道筋が見えてくることがあります。

受験や勉強のこと、進路や将来のこと、恋愛や人との交流に関することなど、あなたがいま悩んでいること、そして、これからの人生で直面するさまざまな問題は、もしかしたら「理系センス」で解決できるかもしれません。

この本では、そのためのヒントをお伝えしていきたいと思っています。

「理系センス」を身につけておくメリットは、それだけではありません。

- 理数科目の点数アップにつながる
- 理系分野への苦手意識やコンプレックスを解消できる
- 先のことを予測し、リスクを避ける能力が上がる
- 世の中にあふれるデータや数字に惑わされず、適切な判断ができるようになる

・これからのＡＩ（人工知能）時代を生き抜きやすくなる

など、あなたの生活や人生において、さまざまなかたちで役立つはずです。

ですから、文系の人間に「理系センス」が不要などということはありえないのです。

そもそも「文系」「理系」という区分けそのものが、もはや意味をなさなくなってきています。

いま、ＡＩやロボットなどに関する技術の発展とともに、社会が大きく変わろうとしています。**みなさんが社会に出て活躍するころには、いま存在している多くの仕事がＡＩにとって代わられる**といわれています。

もちろん、知識を覚える能力を見るかぎり、ＡＩは人間の比ではありません。ですが、これからの時代に求められるのは、文系や理系の知識といったものではなく、それを使って考え、問題を解決する力です。

文系と理系が、互いの「センス」にふれ、それを取り入れることで、それぞれが思考力や発想力をより豊かにすることができます。

それにはまず、互いの領域に興味をもつことが第一歩です。

「理系の人の頭の中って、いったいどうなっているんだろう?」

数学の問題を楽しそうに解く理系のクラスメートを見たり、大発見をした科学者の話を聞いたりしたときに、文系の人はそんなふうに感じることがあると思います。

そこで、理系の人の頭の中をすこしのぞいてみましょう。この本は、その入り口です。

楽しみながら「理系センス」を身につけ、それを使って、いま目の前にある悩み、あるいはこれから遭遇(そうぐう)する問題を解決し、人生を切り開いていきましょう。

この本がその助けとなれば幸いです。

竹内(たけうち)　薫(かおる)

もくじ
中高生の悩みを
「理系センス」で
解決する
40のヒント

第1章 文系でも理数科目の点数がアップする勉強法

第2章 「理系センス」を磨(みが)き、さらに高みをめざすヒント

第3章 「理系センス」で問題を解決し、世界を広げる

第4章 文系の人にこっそり教える理系的生き方

第5章

文系・理系の壁を飛び越えよう

〔竹内式〕「理系センス」を身につけるための40のポイント

第1章

◉文系に多い「他人とくらべる意識」がコンプレックスを生む

◉「理系センス」と「文系センス」のバランスをとることが大切

◉「解の公式」にいたるプロセスもすべて覚えよう

◉興味のあるところから学べば数学はもっと楽しくなる

◉できない問題を洗い出し、試験当日までにつぶしておく

◉一点突破をねらうなら文系は英語、理系は数学に注力

◉ベルカーブやロングテール型の分布を頭に入れておこう

◉偏差値（へんさち）は便利な指標だが振りまわされすぎない

◉必死に勉強すれば成績はある時点で急激に上がる

第2章

◉これからはグラフを使いこなせることが必須（ひっす）能力になる

◉お金がからむ数字は自分でグラフ化して損得を確かめる

◉身近な数字をフェルミ推定して、ざっくり見積もる力をつけよう

◉つねに最悪のパターンをシミュレーションしておこう

◉絵に情報を重ね合わせると情報の処理が速くなる

◉社会に出てからいちばん使えるのは「確率・統計」

◉数を大きくしたり小さくしたりすると見えないものが見えてくる

◉正しい推論とそうでない推論の具体例をたくさん見ておこう

第3章

◉困ったことがあったら、まず何が問題なのかを書き

出してみる

- 人にきちんと説明できないことは、じつはよくわかっていない
- つねに他者の視点で自分を見つめなおす
- 自分とは異なる意見を聞くことが考え方のバランスを保つ
- 嫌な状況から抜け出すには、情報を調べ集める
- 短期留学もグローバルな発想を手に入れる第一歩
- 「どこか」への一歩が自分の将来を大きく変える
- 朝起きたら、すぐに直前まで見ていた夢をメモする

第4章

- オープンイノベーションでは「先に始める」発想が不可欠
- プログラムを書いて英語力や論理的な発想を鍛えておこう
- 理系の世界の遊びの要素に気づけば楽しくなる
- コンピュータによる映像制作が今後は一大産業になっていく
- 文系お得意の〝フィクション〟が技術や社会を動かす
- 大きな変化が起こっていることを謙虚に受けとめよう
- 可能なかぎりたくさんの夢をもち、追いかけていけばいい

第5章

- 「文系センス」を磨きつつ「理系センス」を理解しつづける
- 論理と感情に偏りがないかどうか、つねにチェックを怠らない
- 感情による瞬間的な判断も捨てたものではない
- 倫理に縛られると論理的な考え方ができなくなる
- リスクゼロにとらわれると前に進めなくなる
- 専門家の意見が異なる場合は自分で判断するしかない
- 相手の世界の「おもしろいもの」に気づけば垣根は越えられる
- 相手の世界を理解しようと思う気持ちが大事

第1章 文系でも理数科目の点数がアップする勉強法

なぜ、理系のほうが頭がいいと思い込むのか？

あなたには、「理系コンプレックス」がありますか？

多くの高校では、2年生から文系と理系に分かれ、別のクラスになります。この本を手に取っているみなさんの多くは、自分を「文系」の人間と認識しているのではないでしょうか。

文系の人の多くは、理数系の科目、とくに数学に苦手意識があります。そして、理数系の科目が得意な理系の人に対して、なんとなくコンプレックスをもっている人が少なくありません。

逆に、**理系の人が文系にコンプレックスをもつことは意外と少ない**ようです。その理由の一つとして考えられるのが、試験の点数から受ける衝撃度の違いです。

たとえば、理系の場合、国語は苦手という人でも、国語の試験で極端に低い点数をとることはまずありません。普通に日本で暮らしていれば、日本語は日常的に使うものなので、ある程度の国語力は備わっています。そのため、国語は苦手科目であっても、50～60点程度はとれるものです。

ところが、数学や物理の場合、苦手な人は10点、20点などという低い点数をとることがざらにあります。

文系の人にとってはそれが大きなショックとなり、

「理系の人は自分よりも頭がいい」

という思い込みにつながっているのではないかと思います。

また、理系と文系の気質的な違いも大きいようです。

理系の人は、どちらかというと自分の好きなことに没頭し、それ以外のことにはあまり関心がない人が多く、他人のことはさほど気にしない傾向があります。

一方、周囲の空気に敏感で気配りがこまやかな人は、どちらかというと文系に多いと思います。実際、**文系の人は、いつも他人を気にかけている分、自分と他人をくらべがち**です。

そのため、文系の人は理系の人にコンプレックスを抱きやすいのではないかと思います。

2 理系は論理的に考え、文系は感情で理解する

「理系コンプレックス」を掘り下げていくと、このように理系と文系それぞれの特性の

ようなものが見えてきますが、そもそも理系とか文系という区分けは何でしょうか。

日本では明治維新後に教育制度を整備するにあたり、実験などの設備を必要とする医学や工学、理学などを「理系」、それ以外の法学や文学などを「文系」としたのが、この区分けの始まりとされています。

でも、このような区分けは世界共通ではなく、**欧米(おうべい)には理系とか文系といった区分けは存在しません。**

実際、これからの時代に求められるのは、理系、文系の垣根(かきね)を越えた、バランスのよい知性なのです。理系とか文系という区分けには意味がありません。

ただ、日本では1世紀以上にわたって、こうした区分けが強く根づいてきたため、理系と文系の発想や感覚などにおいて顕著(けんちょ)な傾向が見られるようになっています。

たとえば、理系の人は物事を論理的に考える傾向があります。第2章であらためてお話ししますが、数学の土台は論理学なので、数学が好きということは、すなわち論理が好きだということになります。

また、論理では割り切れない、他人の思いのようなものを汲み取ったりすることが苦手ですから、人づきあいがあまり上手ではない人が少なくありません。

それに対して、文系の人は、論理よりも感情の部分が優位であるように思います。文脈を理解する力や読解力に長けており、他人の気持ちを理解し共感する能力が高く、他人との関係を上手に築いていける人が多いといえるでしょう。

ただ、いまお話しした理系と文系の違いは、どちらが優れているということではありません。読み物でいえば、理系は論説文、文系は小説や詩のようなもので、ジャンルや専門領域が異なるというだけのことです。

ですから、**文系の人が理系の人に、むやみにコンプレックスをもつ必要はありません。**

人間には、論理的な部分と、感情的な部分の両方が必要です。

そのバランスをよくするために、**理系の人は「文系センス」、文系の人は「理系センス」を理解することが大切**だと思います。

3 数学が得意になるには自力で答えを見つけ出す

文系に進んだ人が、その理由を聞かれると、「数学が苦手だから」と答えることが多いようです。「小学校の算数までは得意だったんだけど……」という声もよく聞きます。

算数から数学になると、それまでの具体的な数の世界から離れ、抽象的（ちゅうしょうてき）な記号操作の世界に入ります。

まず、ここでついていけなくなる人が出てきます。

たとえば、2次方程式の「解の公式」も、記号の操作です。2次方程式の一般形であ

る $ax^2+bx+c=0$ （$a\neq 0$）という記号がまずあって、それを何段階か操作すると、解の公式である $x=\frac{-b\pm\sqrt{b^2-4ac}}{2a}$ という別の記号に化けるわけです。

そのややこしさで挫折（ざせつ）してしまうのだろうと思います。

それを乗り越える方法は二つあります。

❶割り切って一連の記号操作を覚える

計算の具体的な方法や手順といった「計算アルゴリズム」を覚えることです。先ほどの2次方程式でいえば、まず、$ax^2+bx+c=0$ を a で割ることから始めて、いくつかの操作を経て解の公式が導き出されます。その手順をそのまま覚えてしまうのです。

これは、車の運転を覚えるのと同じです。アクセルを踏むと車が進み、ブレーキを踏むと止まり、ハンドルを左に切ると左に曲がるというように、操作方法を一つずつ覚えていくわけです。

❷記号操作のやり方を自分自身で編み出す

とても面倒ですが、じつは、理系の人の多くがこれをやっています。理系の人は、教えられたアルゴリズムを使って答えを出すのではなく、自力で試行錯誤（しこうさくご）しながら答えにたどり着くのが楽しいのです。

つまり、数学というゲームをどう攻略するかです。先に攻略本を見るのではなく、何度失敗しても、自力で進んでいくのが楽しいと思えるなら、時間はかかってもそのやり方でやっていけばいいでしょう。

一方、そのゲームがあまり楽しくないのに、強制的に参加させられているのなら、まず攻略本を見ることから始めましょう。❶の「割り切って一連の記号操作を覚える」ことから始めるようにします。

ただ、ここでやってはいけないのは、公式を丸暗記することです。操作のプロセスを抜きにして、答えだけ暗記しても意味がありません。

そもそも、意味もわからずに公式を丸暗記しても、試験の点数にそれほど結びつきません。

しかも、試験のために公式をひたすら覚えても、試験が終われば8割の人はそれを忘れてしまうそうなので、ほんとうに意味がないですね。

文系の人が数学を楽しいと思えず、点数もあまりとれないのは、もしかすると公式を丸暗記しようとしているからかもしれません。

どうせ覚えるのなら、公式に到達するまでの途中のプロセスもすべて覚えるようにしてください。そうすれば試験の点数は上がります。

しかも、それをやっているうちに、だんだんおもしろくなってきて、自分で公式までの道筋を考えてみようと思いはじめたら、しめたもの。そこまでいけば、きっとあなたは数学が好きになるはずです。

「解の公式」にいたるプロセスもすべて覚えよう

4 数学の勉強は、どこから始めてもかまわない

ところで、数学が好きだったはずの理系の人たちでも、大学に入るとかなりの人が数学で挫折（ざせつ）します。なぜなら、さらに抽象度（ちゅうしょうど）が上がるからです。

大学までの数学は、記号操作によって答えが出ればよかったわけですが、大学の数学科で学ぶ数学は、まったく別世界です。なぜ、その記号操作が正しいのかという証明が必要になるのです。そして、もっぱら定理の証明が始まります。

この段階で、記号操作が大好きで数学が得意だった理系の人の何割かは、数学への興味を失います。数学を使うことは好きだが、なぜ、それが正しいかを延々（えんえん）と証明するのは苦痛だ、と感じるようになるのです。

こうして、抽象度の高い数学（純粋数学）を究めていく人と、物理学やエンジニアリング（工学）のための数学（応用数学）に進む人に分かれていきます。純粋数学と応用数学というのは、いうなれば純文学とエンターテインメント文学のようなものです。

数学は積み重ねの学問といわれますが、それは純粋数学の場合です。純粋数学においては、一段たりとも途中のステップを飛ばすことなく、緻密な積み重ねによって証明を完成させなければなりません。

しかし、それ以外の数学はどこから勉強してもかまわない、と私は思っています。**小学生が微分・積分を勉強したいと思うのであれば、やってみればいい**のです。

ただ、実際に小学生が微分・積分の本を読んでも、ほとんどわからないと思います。なぜなら、必要な知識が欠けているからです。

でも、知識が足りない部分に行きあたるたびに、しっかり埋めていけば、いずれ微分・積分がわかるようになります。

科学技術を応用して、さまざまなものをつくるエンジニアリングの世界の人たちも、研究開発の過程で必要になる数学については、虫食い穴を埋めるように、そのつど勉強しています。それが本来の学び方ではないかと思います。

学校では、教科書に書かれている順番どおりに教わるわけですが、この順番は必ずしも数学を好きな人が学ぶのに適しているとはいえません。**足し算の次に引き算を学び、その次にかけ算がきて、割り算という流れが普遍のプロセスというわけではない**のです。

数学が好きで得意な人が、子供のころ、かけ算よりも先に割り算を覚えたという話はよく聞きます。

たとえば、パイを何人分かに切り分けるのは、基本的な割り算の理屈に通じるわけで、「九九」を知らなくても理解できることだからです。

学びやすいとっかかりがあれば、そこから学んでいけばいいのです。学ぶ順番にこだわらず、興味のあるところから勉強していけば、数学がもっと楽しくなると思います。

興味のあるところから学べば数学はもっと楽しくなる

理系的発想で効率的に実力をつける

理系の人の多くが、何かをするにあたって意識するのが「効率化」です。これは、目的に最短で到達するための方法を考えることで、「最適化」ともいいます。

試験勉強でも、まず「○月×日の試験で△点とるためには、いまから何をどれくらい勉強すればいいか」という作戦を立て、それを実行します。

たとえば、問題集を解くとしたら、**問題集を選ぶ段階から、最適化を意識**します。試験の当日までに半分しか解けないような、分厚い問題集に手を出しても意味がありませんが、かといって薄すぎても勉強になりません。作戦にあわせて適切な厚さの問題集を選ぶことが大切です。

そして、何日間かやってみたところで、進捗状況をチェックします。最初に立てた予定どおり進んでいれば、そのまま続けます。

思ったほどペースが上がっておらず、このままでは試験までに問題集が終わらないことがわかれば、そこで作戦を見直します。

作戦を立て（Plan）、実行し（Do）、その結果を評価して（Check）、改善する（Act）。それぞれの頭文字をとって「PDCA」と呼ばれるサイクルをまわすことで、勉強の最適化を図ります。

また、**理系の人がとくに数学の勉強でよく実行しているのが、次のように1冊の問題集を繰り返し解くこと**です。

- 1回目……ひととおり、全部解きます。その際、できなかった問題に印をつけておきます。つまり、できない問題の洗い出しをするわけです。
- 2回目……1回目で印をつけた問題だけを解きます。できなかった問題には、ふたたび印をつけます。2回目が終了した時点で二つ印がついている問題は、かなり苦手な問題ということになります。そうした問題は、解説をじっくり読んだり、自分自身でゆっくり考えたりして、わからない点を明確にします。

・3回目……印が二ついている問題を、もう一度解きます。こうすることで、試験当日までに苦手な部分をすべてつぶすことができます。

このように、**効率的に力をつけていくやり方は、理系的発想の勉強法**といえるかもしれません。

試験を前にして、どう勉強を進めていいかわからなくなったときなどに、参考にしてみてください。

できない問題を洗い出し、試験当日までにつぶしておく

6 受験勉強は全面底上げ型をとるか、一点突破型をとるか

受験勉強で、すべての科目を100%完璧(かんぺき)に仕上げようと考えるのは、あまり合理的とはいえません。完璧(かんぺき)に近づくほど、努力しても成果が上がりにくくなるからです。

たとえば、60%を80%に引き上げるのと、80%を100%にするのとでは、努力の大きさがかなり違ってきます。同じ2割アップでも、後者のほうがずっと難しいのです。

「まずは、すべての科目を6割程度仕上げておこう」という発想でとりかかり、それができたら、次は8割にもっていくというように、全体を段階的に底上げしていくのが、限られた時間で着実に合格に近づく戦術といえます。

反対に、「一点突破」という戦術もあります。私立大学の文系学部の場合、受験科目

は英語、国語、地理歴史・公民の3科目が一般的で、大学や学部によっては、さらに少ない科目数で受験できるところもあります。

科目数が限られている場合は、そのなかのどれか一つでも完璧に近づけておくことができれば、かなり有利になります。

たとえば、英語だけを徹底的に勉強して、英語はどんな試験でも9割くらいの点数がとれるという実力をつけておけば、ほかの科目であまり点数がとれなくても、その分をある程度カバーすることができます。

全体的な底上げと、一点突破のどちらがいいかは、理系と文系のどちらに向いているかによります。

理系の人は、一つのことに集中したいタイプが多いので、どちらかというと一点突破が向いているようです。受験勉強でも数学ばかり勉強していて、数学はほぼ必ず満点という人もいます。数学ができれば、数学を使う科目である物理も必然的にできるので、理系の場合、数学に一点集中するのは効率のいい選択といえます。

文系の人が一点突破をねらう場合、選ぶ科目として望ましいのは国語ではなく、英語です。国語は、満点をとるのは難しいものの、極端に低い点数になることも少ないので、あまりメリットがないからです。文系の科目のなかでは、人と差がつきやすい英語に注力するのが合理的だと思います。

・全面底上げ型……同じことだけやっていると飽きる人、いろいろなことをバランスよくやるのがあっている人向き
・一点突破型……一つのことにじっくり取り組むのが好きな人向き

自分はどちらのタイプかを考え、力を発揮しやすいやり方で受験勉強を進めていくといいでしょう。

7 受験生全体のなかの位置づけを知っておこう

受験勉強では、試験の点数を上げることに加えて、受験生全体のなかで順位を上げることを考える必要があります。そこで、頭に入れておきたいのが「分布」です。

たとえば、ある試験の平均点が50点だった場合、50点前後の人がもっとも多く、100点や0点の人はほとんどいません。

これを、横軸（x軸）を点数、縦軸（y軸）を人数としてグラフで表すと、50点を頂点に、左右がなだらかに低くなっていく釣り鐘型のグラフになります。

このような曲線を描く分布を、「正規分布」といいます。

試験の得点分布は、この正規分布になることがほとんどです。

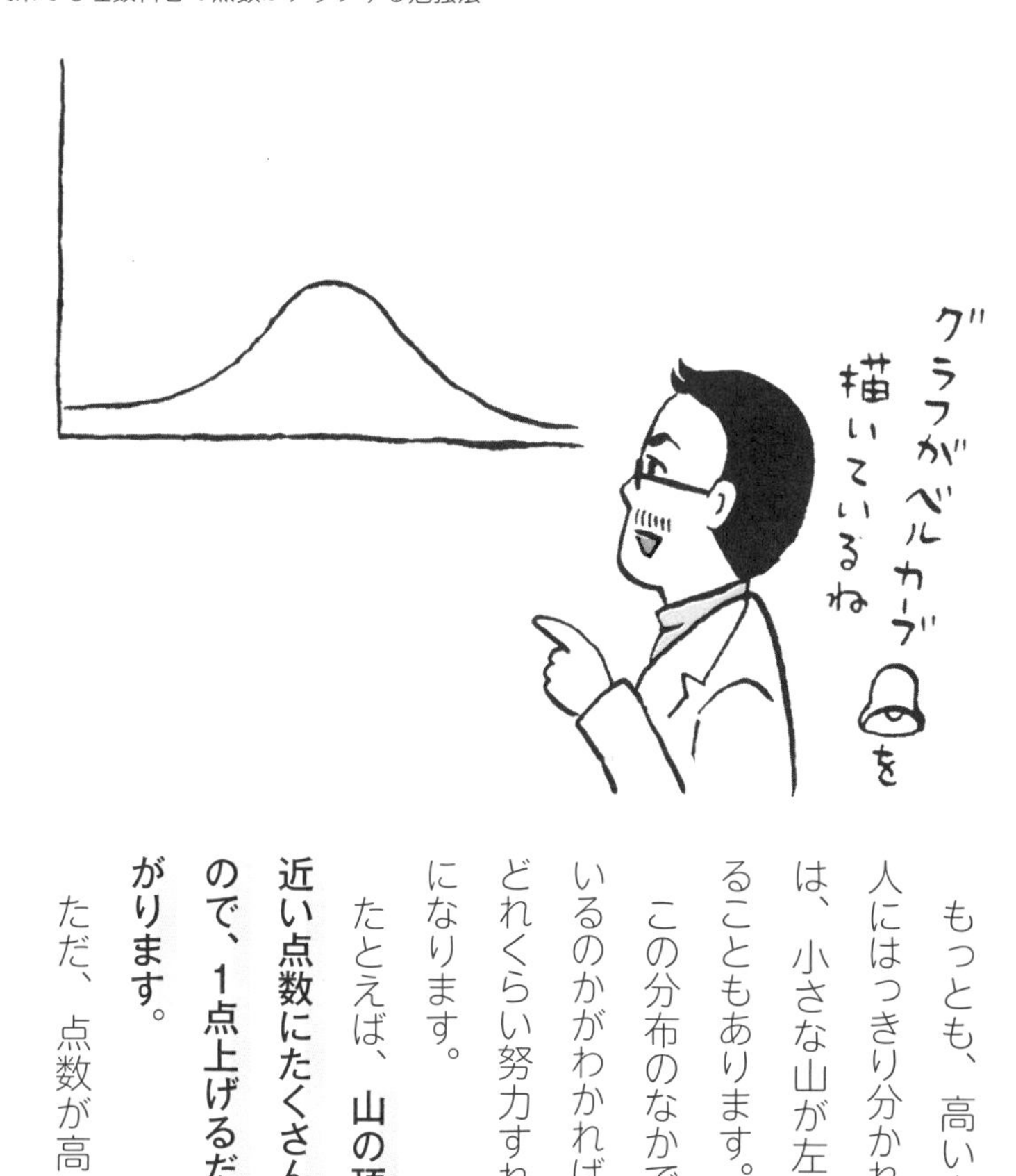

もっとも、高い点数の人と低い点数の人にはっきり分かれるようなテストの場合は、小さな山が左右に二つある分布になることもあります。

この分布のなかで、自分はどのあたりにいるのかがわかれば、順位を上げるためにどれくらい努力すればいいかがわかるようになります。

たとえば、**山の頂点付近にいるのなら、近い点数にたくさんの人がひしめいているので、1点上げるだけでも順位は大きく上がります。**

ただ、点数が高いほうの裾野（すその）に近づくと、順位を上げるのはかなり難しくなります。

正規分布となる現象は、試験の得点のほか、ＩＱ（知能指数）など、社会で数多く見られます。

一方、正規分布とはまったく違う曲線を描く分布があります。「べき乗則」などともいわれる「ロングテール型」の分布です。

たとえば、本の売り上げ部数の分布などがそうです。書店に並ぶ本のうち、ベストセラーはごく一部で、ほとんどの本の売れ部数は少数です。

これをグラフにすると、ベストセラーの部分がもっとも高く、そこからがくんと下がり、ほとんどの本は低く横に伸びるラインになります。

その形が、まるで長い尻尾をもつ恐竜のように見えることから、ロングテール型と呼ばれます。代表的なものとしては、所得分布もこのロングテール型です。

世の中には、年間数十億円も稼いでいる人がいますが、その人数はわずかです。この人たちが、恐竜の頭の先にいるわけです。それに対して、大部分の人の年収は数百万円

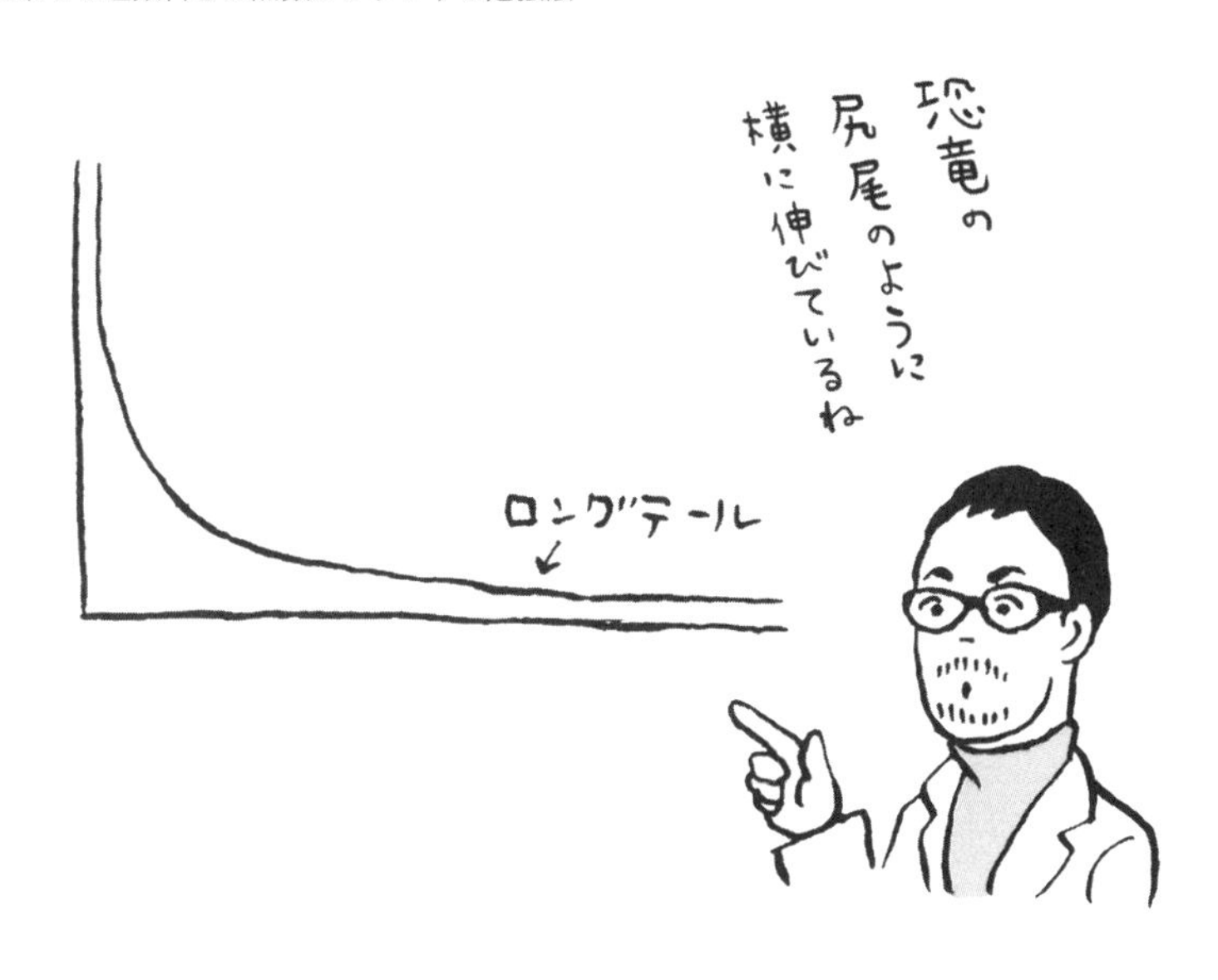

で、この人たちが恐竜の尻尾の部分を形成しているのです。

ロングテール型で重要なのは、「中間層がいない」ということです。ですから、平均値で考えると、自分の位置を見誤る可能性があります。

左右対称のベルカーブを描く得点分布では、平均点が山の頂点にあたります。これは、平均点の人がもっとも多いということを表しています。

でも、所得分布の場合は異なります。

たとえば、国税庁の「民間給与実態統計調査」（2018年）によると、日本人の平均年収は約441万円となっていますが、人数の割合でもっとも多いのは年収300万円超〜400万円以下（17・24％）です。

ごく一部の超高所得者の数字に引っぱられて、平均年収の値が、もっとも人数の多い所得層の年収よりもかなり高くなるのです。実際には、年収が400万円以下の人が約54％を占めています。

このことは、ロングテール型の分布の形を知っていれば、すぐに納得できると思います。この場合、平均年収より低いとしても、それは必ずしも大多数の水準より低いということではありません。

社会のさまざまな現象を正しく把握するためにも、分布について知っておく必要があります。ベルカーブやロングテール型を頭に入れておき、「そのなかのどこに位置しているのか」という視点をもっていると、どう動けばいいかが見えてきます。

8 偏差値はどこまで重要か

受験の合否判定などに使われる偏差値は、試験の得点分布が正規分布であることを前提に、平均点を50として、個々の受験生の得点が平均点からどれだけ離れているかを示す数値です。

この偏差値は学力偏差値ともいい、本来の統計学的な意味での偏差値とは別のもので、日本だけで使われている指標といわれています。

学力偏差値は、1950年代に、東京のある中学校の先生が受験指導のために考案したものです。ある試験で90点をとった生徒が、別の試験では50点をとるということは、試験によって問題も難易度も異なる以上、当然ありえます。

それなのに、特定の試験の点数だけを基準にして、「90点ならA高校を受験してもいいが、89点なら不可」といった指導をするのは非科学的だと、その先生は考えました。

そこで、もっと公平な判断材料として、受験生全体のなかで自分はどのあたりにいるのかが把握できる指標を考え出します。

これがとても便利な指標であったために、日本国内で広く普及するとともに、偏差値を重視する風潮が過熱したわけです。

偏差値はたしかに科学的な指標ですが、一つの数字にすぎません。文系の人が「理系センス」を誤解して陥りやすいのが、物事の全体像を一つの数字で表せるという思い込みです。その典型的な例が偏差値だと思います。

本来、入試は偏差値だけでなく、さまざまな指標を総合して受験生の評価が行われるべきです。

たとえば、アメリカの大学入試では、当然、偏差値という概念は存在しません。SAT

（大学進学適性試験）という大学進学のための統一試験はありますが、その成績がよければ合格できるというわけではありません。

課外活動や自己ＰＲエッセイなど、さまざまな指標があり、それらをもとに大学側が総合的に人物を評価します。

いまは、時代の変化にあわせて、世界的に教育改革が進行しています。日本でも現在、大学入試改革が進められており、今後は学校教育や入試のシステムが大きく変わっていくと見られています。

そのなかでおそらく、偏差値だけを重視する状況も変わることになると思います。現時点では、偏差値は志望校を選ぶうえでの目安にはなりますが、あまり振りまわされないことが大切です。

偏差値は便利な指標だが振りまわされすぎない

9 勉強の成果は「ロングテール型」に表れる

「努力と成果は比例する」と、多くの人は考えます。右肩上がりの直線で描かれる、比例のグラフのようなイメージを頭の中に描いて、勉強した分だけ成績が上がっていくと思いがちですが、それは必ずしも正しくありません。

勉強時間と成績の関係は、グラフで表すと、上がり下がりを繰り返すS字になることもあれば、途中まで直線で上がったあと、平坦(へいたん)になることもあります。

なかでもよく見られるのは、前述したロングテール型の線を尻尾(しっぽ)からたどっていくパターンです。**勉強してもほとんど成績が上がらない状態がしばらく続き、ある時点で急激に大きく成績が上がる**というものです。

これはとくに、数学でよくあります。数学は、さまざまな要素が有機的につながっている学問なので、個々(ここ)の要素をある程度手に入れてしまえば、たいていの問題は解けるようになります。

いいかえれば、知識のピースが欠けているうちは、まったく問題が解けないということです。すこし我慢して勉強を続け、必要なピースが手元にそろってきたところで成果が出てくるのです。

それはたとえば、漢字を習得するプロセスに近いかもしれません。漢字の勉強を始めたばかりのうちは、わけのわからない記号が並んでいる状況なので、覚えるのに苦労しますが、ある程度まで覚えると、そこから先は楽になっていきます。

漢字は「へん」や「つくり」などの部首で構成されているので、部首というピースを一定数仕入れてしまえば、あとはその組み合わせになるからです。

英語の場合も、知っている単語が少ないうちは、英文はほとんど読めません。ある程度、単語力がついてきたところで、ふと水の流れがよくなるように、スムーズに読めるようになります。

このように、**勉強量が積み重なってくると、それらが結びついて急に理解が進み、成果が表れるポイントが必ずどこかにある**ものです。肝心(かんじん)なのは、そのポイントに到達する手前であきらめないことです。

必死に勉強しているのにまったく成績が上がらない状態が続くと、このまま上向くことはないと感じて、あきらめそうになるかもしれません。

そんなときは、「自分はまだロングテールの尻尾(しっぽ)の部分にいるんだ」と思ってください。そこでもうちょっとがんばってみると、恐竜(きょうりゅう)の頭に向かって大きくジャンプするタイミングがやってくるはずです。

必死に勉強すれば成績はある時点で急激に上がる

第2章
「理系センス」を
磨き、さらに高みを
めざすヒント

グラフを使いこなせると理系も文系も得をする

「理系センス」を磨くには、なんといっても数学力を身につけることが基本といえます。数学には当然、数字や数式が出てきます。ただ、数字や数式は文字なので、それだけではいまひとつイメージがわきません。

そこで、視覚化して考えてみようということで、グラフに表すことが考え出されたのです。

とはいえ、グラフというと x 軸とか y 軸が出てくるため、数学が苦手な人はそれだけで身がまえてしまうかもしれませんね。

実際の生活で使う機会がないのに、「なぜ、グラフを学ばなければならないのだろう」

と感じている人もいると思います。**グラフというのは、単純に、数字や数式を見やすくするためのもの**だと考えてください。

じつは、世の中には、グラフを使いこなしている人がたくさんいます。たとえば、企業の売上高や株価はすべてグラフ化されていますから、グラフを読み取ることは必須能力といえます。

社会では、いろいろなものがグラフのかたちで出てきます。ですから、極端な言い方をすると、世の中でお金儲けをしている人は、グラフの世界に住んでいるともいえます。グラフを使いこなして、お金を儲けているわけです。

さて、x軸とy軸のグラフは、17世紀のフランスの哲学者で数学者のルネ・デカルトによって発明されたものです。大学で学ぶ数学や物理学の世界では、さらにz軸を加えた3次元のグラフが出てきます。

それだけではありません。20世紀最大の物理学者アルベルト・アインシュタインが考えた「相対性理論」（特殊相対性理論と一般相対性理論の総称）では、tという軸が加わります。tとは時間のことです。

アインシュタインによれば、宇宙は3次元の空間に時間を加えた4次元時空ということになります。

ちなみに、現在の宇宙論では、11次元の宇宙が論じられています。11次元とは、11の軸があるということです。

残念ながら、人間が頭の中で思い浮かべて回転させることができる軸の数は三つまでです。11次元がどんなものなのか、普通は想像することすら不可能です。

私たちが生活するうえでは、さすがにそこまでの軸は必要ありません。経済や金融の世界でお金を扱う場合は、xとyの二つの軸で十分です。

二つの軸だけでいいと考えれば、ずいぶん簡単な気がしませんか。

もうすこしグラフの話を続けますので、しっかりマスターしておきましょう。

これからはグラフを使いこなせることが必須能力になる

数字をグラフ化すると損得がすぐにわかる

いま、あなたが、スマートフォンの料金プランを検討しているとしましょう。

・Aプラン……月々の利用料は1万円。契約時に1万円の割引がある

・Bプラン……月々の利用料は8000円。契約時に割引はない

1万円の割引があるというのは、かなりお得感があるので飛びつきたくなりますね。

でも、そこでいったん立ちどまって、二つのプランをグラフに表してみましょう。

x軸を12カ月の時間経過、y軸を支払う金額の累計として、簡単なグラフをつくってみてください。

どうですか？　1年間に支払う総額を見ると、契約時に割引のないBプランのほうが

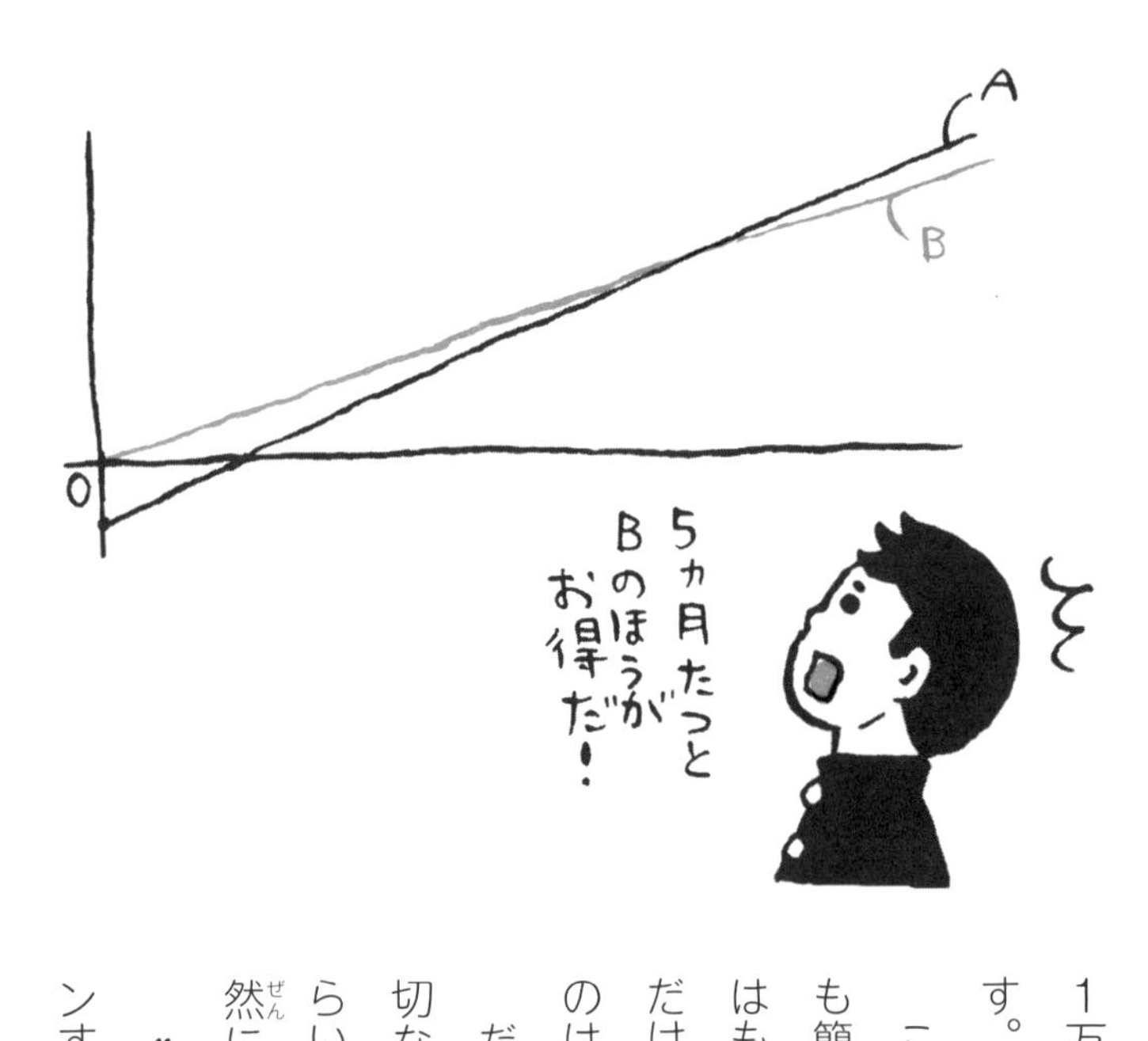

1万4000円も得することがわかります。

この例は単純化しているので、計算でも簡単にわかりますが、実際の料金比較はもっと複雑になります。そのときに数字だけを見て、どちらが損か得かを判断するのはなかなか大変です。

だからこそ、グラフにしてみることが大切なのです。そうすることで、何がどれくらい得なのか、あるいは損なのかが一目瞭然になります。

x軸とy軸を引いて、シミュレーションするだけでいいので、スマートフォンにかぎらず、電気料金やガス料金などでも、数字をグラフにして比較してみてください。

よく、料金プランの説明パンフレットなどにグラフが示されているものがありますが、それを鵜呑(うの)みにせず、**自分自身でグラフをつくることが大切**です。というのも、そうした資料には利用者をだますグラフが使われていることがあるからです。

『統計でウソをつく法』(ダレル・ハフ著、高木秀玄訳、講談社ブルーバックス)という有名な本に、グラフを使って人をだます方法がたくさん書かれています。

たとえば、いかにもお得そうな印象を与えるために、グラフをイメージ図として使うケースです。そうしたグラフは x 軸(じく)と y 軸(じく)の単位が明示されていないため、何を表しているのかがわかりません。そして、隅(すみ)のほうに小さく、「これはイメージ図です」という断り書きがあったりします。

あるいは、途中の部分が二重の波線で省略されているグラフもあります。グラフを圧縮することで、数値が急激に大きく上がったり下がったりするように見せているのです。

グラフを使いこなせないと、グラフにだまされることにもなりかねません。とくに、お金がからむ場合、得をする、あるいは損をしないための第一歩は、自分で数字をグラフ化することだといえます。

お金がからむ数字は自分でグラフ化して損得を確かめる

12 だいたいの数字をざっくり見積もってみよう

みなさんは、日本には電柱が何本あるか、わかりますか？

日本じゅうの電柱の数を調べるとなると、大変な作業になります。

そこで、手近にある情報をもとに、ざっくり見積もるのが「フェルミ推定」といわれる手法です。ノーベル物理学賞を受賞したエンリコ・フェルミがよく使用していたもので、いまではビジネスの世界でも広く使われています。

フェルミ推定の例としてよく知られているのが、「アメリカのシカゴにはピアノの調律師が何人いるか」という問題です。

これを推定するには、まず、シカゴにピアノが何台あるかを考えます。シカゴの人口は約270万人（2018年）ですから、1世帯の人数を3人程度とすると、シカゴの世帯数は約90万世帯。つまり、約90万軒の家があることがわかります。そのうち、ピアノがある家は10軒に1軒くらいだと仮定すると、シカゴにあるピアノの台数はざっと9万台と考えられます。

一方、ピアノの調律は、そう頻繁に行うものではありません。だいたい年に1回程度と仮定します。そして、調律師が1日に調律できるピアノの数を3台くらいとして、年間250日働くとすると、1人の調律師が1年間に調律できるピアノの台数は、だいたい750台ということになります。

以上の数字から、シカゴにいる調律師の数は、9万台÷750台＝120人と推定できます。ここで重要なのは、正解が120人なのか148人なのかを考えることではありません。

この推定値から、シカゴにいる調律師は10人とか20人という数ではないが、かといって1000人はいないということがわかればいいのです。つまり、**とらえどころがないと思われるものでも、その数についてはだいたいのケタがつかめるということに意味がある**のです。

ちなみに、この推定では、途中でいくつも大まかな仮定を重ねているので、出てくる数値は当然、誤差が大きくなっていると考えがちですが、必ずしもそうとはいえません。いくつかのステップを経てかけ算や割り算をすると、誤差がプラスになったりマイナスになったりすることで、最終的には誤差が相殺（そうさい）されるという、おもしろいことが起こるのです。

このような、正確にわからない数字をざっくり見積もることは、私たちの日常生活でも普通に行われています。

たとえば、出版社が本を出版するケースを考えてみましょう。担当者はまず、その本の読者対象がどれくらいいるかを考えます。そして、そのなかで、実際に本を手に取ってくれる人を推定し、その数にあわせて出版部数を決めています。

また、出かけるときに、待ち合わせ場所に到着するまでの時間を見積もるのも、広い意味でのフェルミ推定です。電車やバスに乗っている時間や、待ち時間など、さまざまな要素を考え合わせ、所要時間をざっくり計算しているわけです。

あるいは、家計の管理もそうです。日々(ひび)の支出金額を記録し、それをもとに翌月に生じる出費を見積もる必要があります。そうすることで、収入を超(こ)える出費があっても、事前に対策を立てることができます。

この、ざっくり見積もる力があるかどうかによって、みなさんの未来もかなり変わってくる可能性があります。

身近な数字をフェルミ推定して、ざっくり見積もる力をつけよう

13 数字で未来を予測し、リスクを回避する

学校生活や仕事、日常生活でも、予期せぬことは必ず起こります。だからこそ、いろいろな事態を想定して見積もることで、損失を最小限に抑(おさ)えることができます。

たとえば、長く続けていたアルバイトを、その職場の事情で突然やめざるをえなくなることがあります。ですから、もし自分がそうなったらどうするかということを、つねに考えておく必要があります。

そこで重要なのは、**漠然(ばくぜん)とイメージするのではなく、数字で考える**ことです。貯金はいくらあるのか、いま1日に使っているお金はどれくらいなのかなど、具体的に数字で表しておくのです。

そうやって見積もっておけば、「もし、今日、バイトをやめることになったとしても、この先3カ月は貯金で過ごせるから、その間に次のバイトを見つければなんとかなる」といった予測を立てることができます。

さまざまな可能性について、**数字を使い、紙に書いて、「だいたいこうなるんだな」と推定し、つねにシミュレーションする**ことが大切です。とくに、考えられる最悪のパターンについては、絶対にやっておく必要があります。

私たちは人生のなかで、大小さまざまな「想定外」に直面します。新型コロナウイルスの感染拡大も、その一つです。情勢に大きな変化があれば、そのたびにシミュレーションが必要になります。

たとえば、マスク製造販売会社のケースで考えてみましょう。新型コロナの感染拡大によりマスクの需要が急増し、小売店の店頭からマスクが消えたことは、みなさんもまだ記憶に新しいと思います。

マスク会社は当然、マスクの増産計画を打ち出します。そのために、新工場の建設という案も浮上しますが、感染が早い段階で収束していったら大きな損失を抱える可能性があります。ですから、いつまでに、どれくらいの増産ができる態勢を整えればいいのか、感染拡大の状況をにらみながら、そのつどシミュレーションしなおすことが不可欠になります。

大学入試においても、同じことがいえます。たとえば、2020年度から始まる「大学入学共通テスト」では、英語民間試験の導入が見送られたため、導入を前提に対策を立ててきた受験生にとっては想定外の大きな変化となりました。

当然、その変化にあわせて、受験の戦術を変える必要が出てきます。英語の試験で、自分が力を入れてきたスピーキングやリスニングの比重が下がるなら、その分、長文読解問題や文法問題の点数をどれだけ上げればいいかを見積もり、勉強計画を立て直す必要があります。場合によっては、志望校の再検討をする必要があるかもしれません。

数字を使って未来を予測することで、私たちはさまざまなリスクを回避することができますから、そうした習慣をいまから身につけておくといいと思います。

つねに最悪のパターンをシミュレーションしておこう

14 覚えたいことは絵にしてみる

以前、ラジオ番組にレギュラー出演していたとき、私はあることに気づきました。

私は、オンエアの前には、必ず台本の内容を頭に入れておくようにしていますが、その際、内容を絵にしておくと調子よくしゃべることができたのです。

絵にするといっても、絵でメモをするような感覚です。たとえば、「AとBのデータでは、Aのほうが大きい」という話であれば、大小二つの丸を描いて、大きいほうにA、小さいほうにBと書いておくという程度のことです。

なぜ、**絵にすると**しゃべりやすくなるかというと、**見た瞬間に内容を把握(はあく)できる**からです。文章を覚えるには、1文字ずつ目で追って情報を処理しなければなりません。そのため、書かれていることや、そのなかで何が重要かを瞬時に読み取るのが難しいのです。

文字だけの台本を見ながら話す場合、文字から情報を把握(はあく)し、言葉にするまでに数秒のタイムラグが生じます。ラジオで数秒間も無言が続くのはNGなので、瞬間瞬間に情報を頭に入れて話をつないでいかなければなりません。

そこで役に立つのが、絵です。

台本の大事なところに線を引くという方法もありますが、線を引いた箇所が複数あると、優先度合いを判断したりするのにすこし手間どります。

でも、絵なら、瞬時に判断することができます。

暗記が必要な科目では、教科書や参考書の覚えたい部分に線を引くより、それを絵にしてみるといいかもしれません。

自分が見てわかればいいのですから、描く絵は自分流でかまいません。ヘタなイラストでもいいし、そこに文字情報や記号などを組み合わせてもいいでしょう。自分にとってわかりやすく、印象に残りやすい絵にしてみてください。

たとえば、私の場合、絶滅しつつあるゴリラの話題をラジオで取り上げるとしたら、まず、ゴリラの絵を描きます。これで、「今日はゴリラの話題だ」とひと目でわかります。

さらに、その絵のまわりに、現在の生息数などの情報や、「5大絶滅」「オルドビス紀」「ペルム紀」など、関連するキーワードを書き入れておきます。これで文章がなくても内容が頭に入り、ポイントを押さえてリスナーに伝えることができます。

コンピュータのプログラミングでは、全体的な流れを示すフローチャート、すなわち絵をつくりますが、これと同じように、**自分がやることや、しゃべる内容を、事前に絵にしておくことが、うまく進めるためのポイント**といえます。

非常口のマークは、いまやどこでも目にしますね。

このような、伝えたいことをシンプルな図で表現したピクトグラムがさまざまな場面で使われているのは、わかりやすいからです。

絵に情報が重ね合わされているため、情報の処理がしやすいのです。

ちなみに、日本人がとくに親しんでいる漫画も絵とセリフが組み合わされたものであり、解剖学者の養老孟司さんは、「漫画の絵は漢字で、吹き出しのセリフはルビ、つまり漫画はルビのある漢字である」というようなお話をされています。

漢字は、古代の中国で、形や概念を表した図が簡略化されてできたものです。日本人はその漢字に、日本の固有語である大和言葉をあてて訓読みを加えました。つまり、漢字という「絵」に、その説明となる言葉を組み合わせているので、その点では漫画と同じというわけです。

英語のアルファベットなど世界のほかの文字にくらべて、漢字は1文字あたりに入っている情報量が多く、私たちは漢字の字面をぱっと見ただけで、そこに凝縮されている意味を感じ取ることができます。

たとえば、「災い」という言葉の「災」の字を見ると、そこに含まれている「火」という文字の印象などから、その意味するところが瞬時に浮かび上がるのです。

日本語の文章は、漢字仮名交じりで書かれています。つまり、漢字という「絵」がちりばめられているので、視覚的に意味を読み取れるという利点があります。

絵による情報把握(はあく)のしやすさを、私たちは文章を読むという行為においても、無意識のうちに活用しているのです。

絵に情報を重ね合わせると情報の処理が速くなる

15 確率を駆使すれば、勝負事にも強くなる

「確率・統計」は、学校の授業では十分な時間がとられることの少ない科目です。

でも、中学や高校で教わる数学のうち、社会に出てからいちばん使えるのは「確率・統計」だというのが、私の持論です。

実際、確率に強いことは、相当な武器になります。わかりやすいたとえをあげると、みなさんにはちょっと早いかもしれませんが、ギャンブルに強くなります。

たとえば、競馬です。

競馬は、馬と騎手の過去の戦績などのデータから、どの馬が勝ちそうかを予想するので、勝つ確率をある程度コントロールできます。

たくさんの人が勝ちを予想する馬は、払い戻し率が下がるので、レースで勝利しても払い戻される金額は低くなりますが、勝つ確率は高いと考えられます。

ギャンブルで、賭けた金額に対して返ってくる見込みの金額を「期待値」といいます。競馬の場合、勝つ確率の高い馬を選べば、やり方しだいで期待値を上げ、トータルで投資した金額以上のリターンが得られるようにすることも可能なのだそうです。

このような計算によって、やっていいギャンブルとそうでないものを見極めて、損を出さないように楽しんでいる理系の人も見かけます。

ちなみに、2019年の「年末ジャンボ宝くじ」の1等の当選金額は7億円でしたが、1等が当たる確率は2000万分の1。つまり、0・000005%ですから、事実上ゼロといってもいい、きわめて低い確率です。

理系の発想では、当たる確率が事実上ゼロになるものに投資することは考えられません。しかも、「期待値」は、くじ1枚300円に対して約149・5円ですから、投資した金額の半分以下しか返ってくる見込みがないというありさまです。

ところで、**確率を計算することで現象を予測したり、解明したりする**ことは、天気予報など、さまざまな場面で応用されています。

その方法としてよく使われるのが、ランダムに数を発生させることで見積もる「モンテカルロ法」です。この名称は、カジノで有名なモナコのモンテカルロにちなむそうです。

ごく簡単に説明しましょう。

たとえば、円の面積を求める方法を考えてみましょう。私たちはそれを求める公式を知っていますが、公式を知らない状態で大まかに計算する場合、どうしたらいいでしょうか。

まず、正方形の枠(わく)をつくり、その内側にぴったりはまるように円を描きます。

そして、その枠(わく)の中に小さなビー玉、あるいは米粒のようなものを、ランダムにどんどん投げ入れていきます。

これはコンピュータシミュレーションでいえば、座標に乱雑に点を発生させるということです。画面上にポツポツと大量の点を打ったところで、円の中にいくつ点があるかを数えます。

打ったすべての点の数と、円の内側にある点の数の比率は、正方形の面積と円の面積の比率に相当します。

正方形の面積は計算できるので、この比率から、円の面積、そして円周率が求められます。

ちなみに、打つ点の数が多いほど正確な値に近づきます。

このように、**公式がわかっていないものでも、ランダムに選んだ乱数を用いたシミュレーションによって計算ができる**わけです。

この方法は物理学や数学のほか、経済学やエンジニアリングの世界などで幅広く使われています。

社会に出てからいちばん使えるのは「確率・統計」

16
よくわからないときは数字を極端に変えてみる

数字にかかわる問題は、**数を大げさにしたり、逆にシンプルにしたりして考えると、本質が見えてくる**ことがあります。

「モンティ・ホール問題」という、確率論の有名な問題をご存じでしょうか。

この問題の元になっているのは、アメリカのテレビ番組で行われていた賞品当てゲームで、三つのドアのうち、一つのドアの向こうに賞品があり、二つはハズレで、挑戦者（ちょうせんしゃ）が三つのドアから一つを選ぶというものです。

そして、挑戦者（ちょうせんしゃ）が一つのドアを選んだら、当たりを知っている司会者のモンティ・ホールさんが、残り二つのドアのうち、ハズレのドアを一つ開けて、挑戦者（ちょうせんしゃ）が選んだドアと、開いていないもう一つのドアの、どちらを選ぶかをあらためてたずねます。

さて、挑戦者は、最初に選んだドアから、もう一つのドアに選択を変えるべきでしょうか。

答えは、「イエス」です。なぜなら、選択を変えると、当たる確率が3分の1から3分の2になるからです。つまり、当たる確率が2倍も高くなるわけです。

こういわれても、多くの人は直感的に納得しにくいと思います。モンティ・ホールさんがドアを開けた時点で、残っているドアは二つ。つまり、二択になるので、どちらを選んでも当たる確率は2分の1だと思うのではないでしょうか。

このモヤモヤを解消する方法は簡単です。ドアの数が三つだからわかりにくいのです。ドアの数を100に増やして考えてみてください。

100並んだドアのうち、あなたはまず、一つのドアを選びます。そこにモンティ・ホールさんがやってきて、残り99のうち、98のドアを開け放ちます。そして、彼が開けなかったドアと、自分が最初に選んだドアのどちらを選ぶかと聞かれたら、ほとんど迷わないはずです。

要するに、ここでモンティ・ホールさんが示しているのは、

「一つのドアと99のドアのどちらを選ぶか」

という選択肢です。

つまり、100分の1か、100分の99か、という選択ですから、後者を選ぶほうが明らかに当たりやすいといえます。

反対に、要因がたくさんありすぎて、よくわからなくなることもあります。そういうときは、**単純化して考える方法**があります。

たとえば、ある学校の1学年100人のうち、誰かと誰かが同じ誕生日である確率はどれくらいでしょうか。

100人と聞いただけで途方もない気がして、どう計算すればいいのか見当もつかないかもしれません。

そこで、まず、2人から考えてみます。2人の誕生日が同じである確率は365分の

1だとすぐにわかります（うるう年は考えないこととします）。では、3人、4人、5人ではどうでしょうか。

このあたりで、この計算がなかなかやっかいであることに気づきますね。たとえば、5人のなかに同じ誕生日のペアがいる場合、1組とはかぎらないからです。

もうお手あげだと思ったところで、考えを裏返してみましょう。

同じ誕生日のペアが1組もいない確率、つまり、100人全員が違う誕生日である確率を計算し、それを1から引けば、「誰（だれ）かと誰（だれ）かが同じ誕生日である確率」を計算できます。

計算方法がわかれば、あとは簡単です。小さい数から考えていきます。

2人の誕生日が違う確率、つまり、Aさんの誕生日がBさんの誕生日以外の日である確率は、365分の364です。

3人目のCさんの誕生日が、AさんとBさんの誕生日以外の日である確率は、365分の363です。

ここまで考えると、4人目の場合は365分の362というふうに、人数が増えるごとに分子の数が一つずつ減っていくという法則性が見えてきます。

この確率を100人目まで出して、すべて掛け合わせると、100人全員が違う誕生日である確率が出ます。

最終的に、100人のうち、誰かと誰かの誕生日が同じである確率は99・99997%、つまり、ほぼ100%であることがわかります。

ちなみに、同様に計算すると、40人の場合で89%以上、50人で97%以上の確率になります。一つのクラスに同じ誕生日の人がいるのはめずらしいことではないのです。

このように、簡単そうなのによくわからない、あるいは複雑すぎて考えられないというときは、**問題の「見かけ」に惑わされず、数を大きくしたり小さくしたりして考える**と、解決の糸口が見つかる可能性が高くなります。

数を大きくしたり小さくしたりすると見えないものが見えてくる

正しい推論と、そうでない推論を理解する

論理学というと、大学の哲学科で学ぶものというイメージがありますが、数学科やコンピュータ科学系の学科でも学びます。というのも、数学は論理学の上に乗っているものだからです。

コンピュータは、論理的に考える究極の機械であり、いうなれば論理のかたまりです。したがって、論理を理解していないと、コンピュータを動かすプログラムを書くことはできません。**コンピュータ科学や数学と、論理学は完全に連動している**のです。

論理学をわかりやすく説明すると、正しい思考の形式や法則を研究する学問といえます。人類はギリシャ哲学の時代から、正しい推理のしかた、あるいはまちがった推理のしかたはどういうものか、ということを考えてきました。

言葉を使って推理や推論を行う論理学が発展し、文章を記号に置き換え、その記号のパターンから論法の正しさなどを判別する記号論理学が生まれ、さらに抽象度の高い数理論理学が考え出されてきました。コンピュータ科学で使われるのは、この数理論理学なのです。ですから、**理系的とは論理的に考えることそのものであり、論理学を知ることが不可欠**だといえます。

では、論理的な考え方とは、どのようなものでしょうか。論理学では、真か偽か、つまり、正しいか正しくないかのどちらかに決まる文章を「命題」といいます。

ここで、「AならばB」という命題が正しいとき、逆の「BならばA」も正しいといえるかどうか、考えてみましょう。

たとえば、「東京に住んでいるならば、日本に住んでいる」という命題は正しいですね。でも、「日本に住んでいるならば、東京に住んでいる」は、必ずしも正しくありません。日本に住んでいるが、東京には住んでいない人はたくさんいるからです。

「逆は必ずしも真ならず」なのです。

では、「AでないならばBでない」はどうでしょうか。

「東京に住んでいないならば、日本に住んでいない」は、先ほどと同様の理由で、必ずしも正しくないことはすぐにわかります。

最後に、「BでないならばAでない」について考えてみます。

「日本に住んでいないならば、東京に住んでいない」は正しいといえます。

「AならばB」に対する、「BでないならばAでない」のように、命題の対になるものを「対偶（たいぐう）」といいます。そして、命題が真であるとき、対偶（たいぐう）も必ず真となります。

このように、正しい推論とそうでない推論のパターンをある程度理解しておくと、「あの人のこの意見はおかしい」といったことに気づくことができます。

「AまたはB」というときの「または」も、注意が必要です。日常生活で、「紅茶またはコーヒー」といえば、紅茶とコーヒーのどちらか一方という意味になります。

ところが、数学で使われる論理的な「または」の場合は、「どちらか一方」に加えて、

「紅茶とコーヒーの両方」という意味もあるのです。数学における「AまたはB」には、「AかB」と「AとB」の両方の意味が含まれることを、よく覚えておきましょう。

法律家などが、この論理的な意味で英語の「OR」を使う場合、日常的な用法との混同を避けるため、「AND/OR」という表記を使います。日本語の場合は、それに相当する表記がないため、ただし書きなどをつける必要があり、すこしやっかいかもしれません。

とくに文系の人には、**論理的な考え方のトレーニングとして、まずは論理学の本を読むことをおすすめ**します。正しい推論とそうでない推論について、具体的な例をあげて説明しているものや、論理的な考え方の練習問題を用意しているものなど、さまざまな本があります。そのなかから読みやすそうなものを1冊選んで読んでみると、自信がついてくると思います。

正しい推論とそうでない推論の具体例をたくさん見ておこう

第3章
「理系センス」で問題を解決し、世界を広げる

18 問題がわかれば解決法は必ず見つかる

数学者のジョージ・ポリアは、1954年に刊行された名著、『いかにして問題をとくか』（柿内賢信訳、丸善出版）のなかで、問題を解くステップとして、「問題を理解する」「計画をたてる」「計画を実行する」「ふり返ってみる」の四つをあげています。

このなかで、勉強や日常生活ですぐに応用できるのが、一つ目の「問題を理解する」というステップです。なぜなら、**問題がわかっていなければ解きようがない**からです。ですから、困っていることがあれば、まず何が問題なのかを書き出して整理することから始めましょう。

たとえば、忘れ物が多いとしたら、どこで何を忘れるのかを考えてみます。朝、出かけるときにタブレットを持っていくのを忘れるとしたら、そのときタブレットはどこに置いてあったかを考えてみましょう。

すると、前日の夜、寝る前に、自分の部屋でタブレットを充電していたことを思い出すかもしれません。それなら、解決する方法はいくつか考えられます。

まずは、充電する場所を変えてみましょう。玄関付近で充電するようにすれば、出かけるときには必ず目につくので、忘れずにすみます。あるいは、タブレットをカバンの中に入れて、充電器につなぐという方法もあります。

また、スマートフォンが家の中でよく行方不明になるようなら、置き場所を決めて、そこ以外には絶対に置かないようにするという解決方法があります。できれば1カ所、多くても3カ所程度に決めておけば、スマートフォンが見当たらないときは、その場所を確認するだけですみます。

問題が理解できれば、解決方法はいくらでも出てきます。それらを実行すれば、おそらく問題は解決します。

根本的な問題のありかを調べ、それを解決する具体的な方法をいくつか考えて、一つずつ試してみます。そのうちのどれかがうまくいけば、それを続けていけばいいのです。

問題を解くことは、問題と向き合うことから始まります。

困ったことがあったら、まず何が問題なのかを書き出してみる

19 わからないことをそのままにしない！

学校の授業でわからないことがあったとき、どうしますか？

その場で手をあげて先生に質問すれば、疑問は解決できるかもしれません。

でも、なんとなく気が引けて、「とりあえずノートもとったし、まあいいか」ですませてしまうことが、よくあるのではないでしょうか。

じつは、これはとても危険です。ほんとうはよくわかっていないのに、わかったふりを続けていると、「考えない」ことが当たり前になるからです。**わからないことがあったら、そこでいったん立ちどまり、自分がほんとうにそれを理解しているかどうかを確認する**ことが大切です。

- 本を読んでいて、引っかかる箇所があったら、もう一度読み返す
- 勉強していて、いまひとつ理解しきれないことがあれば、友達や先生などまわりの人に聞く

わかっていないことを確認しないまま、自分をごまかして、わかったことにして先に進んでいると、気がついたときにはわからないことだらけになってしまいます。

知識は増えても、理解していないことばかりになるのは、とても怖いことです。実際、理系の世界でも、大学の物理学科を卒業しているのに、アインシュタインの「特殊(とくしゅ)相対性理論」をわかっていない人が少なからずいます。

物理学科の授業では当然、特殊相対性理論を学んでいて、試験もパスしているのにわかっていないというのは、試験にパスしたことを「わかった」ことにすりかえて、自分をごまかしているからです。

特殊相対性理論の公式を使って、たとえば、「光速に近づいたときの時間の遅れ」を計算することができれば、試験にパスすることは可能です。でも、それは、なぜ光速に近づくと時間が遅れるのかを理解していることにはなりません。

ほんとうに理解できているかどうかは、他人に説明できるかどうかです。特殊相対性理論について人に説明することができれば、特殊相対性理論がわかっているといえます。いいかえれば、きちんと説明できないことは、じつはよくわかっていないのです。科学者のみなさんから、授業で教える立場になってはじめて、その学問がよくわかったという声を聞くことがあります。

これは、本を読んだあと、友達と感想を話し合ったりすると、その本の内容について自分の理解度が確かめられるのと同じです。勉強したことについて、自分の言葉で誰かに話すと、よりいっそう理解が深まります。

いちばんよくないのは、授業を一方的に聞いてわかった気になることです。**先生が話したことをノートに書いても、わかったことにはなりません。**それは、他人の考えを書き写しただけのことです。わからないことを素通りしていないか、気をつけましょう。

人にきちんと説明できないことは、じつはよくわかっていない

20 コペルニクスに学ぶ、自分を客観的に見つめなおすコツ

みなさんは、「コペルニクスの原理」という言葉を耳にしたことがあるでしょうか。これは、文系の人にぜひとも身につけてほしい「理系センス」といえます。

簡単に言うと、宇宙には特別な中心は存在しないとする考えのことです。

16世紀にポーランドの天文学者ニコラウス・コペルニクスが「地動説」を唱え、それまでの常識だった「天動説」を覆したことはよく知られています。

当時、宇宙は、私たちが見慣れているプラネタリウムのような天球だと考えられていました。表面に星が張りついた天球がぐるぐるまわっていて、その中心に地球があるというのが天動説です。

これに対して、コペルニクスは「宇宙の中心は地球ではなく、太陽だ」と主張したとされていますが、厳密には、地球が円を描くように動いている、その中心点が宇宙の中心であることを明らかにしたのです。

その中心点はほぼ太陽とイコールなのですが、当時はそういう発言は宗教上の観点から差し障りがあったため、地球を主役とする価値観と矛盾しない論法をとったのです。

いずれにしても、コペルニクスが、地球中心から太陽中心へと宇宙の中心をずらしたことは、きわめて大きなステップでした。

ちなみに、物事を画期的な発想でとらえることを、18世紀の哲学者イマヌエル・カントは「コペルニクス的転回」と呼びました。

もちろん、現代では、太陽が宇宙の中心でないことはわかっています。太陽を中心にした太陽系全体が天の川銀河の中心を軸にまわっていること、その天の川銀河もたくさんの銀河の集まりの一部であると考えていくと、宇宙のどこが中心だとはいえなくなっていきます。

これがさらに進んでいくと、この宇宙さえも、たくさんある宇宙の一つではないかという考えに到達します。これがいま、理論物理学の世界で論じられている「多元宇宙」です。地球からどんどん外に視点をずらしていくことで、現代ではマルチバースのようなところまで考えが発展しているのです。

つまり、「コペルニクスの原理」とは、自分中心から他者中心へと視点をずらし、一面的な偏った視点ではなく、自分を他者の視点から見る、すなわち、「自分は特別ではない」「自分中心の考えを改める」ということを意味するわけです。

では、「コペルニクスの原理」を個人にあてはめると、どんなことがいえるでしょうか。

自分はこうしたい、これが好きだという視点から、「ほかの人はどう考えているんだろう」と**他者に視点をずらすことで、自分自身や自分の考えを客観的に見ることができる**ようになります。

たとえば、自分は「地球温暖化は進まない」と思っているけれど、ほかの人の視点から見たらどうだろうと考え、気候学者などさまざまな人の意見にふれることで、自分の思考の偏(かたよ)りが見えてきます。

他人の考えや行動に目を向けることで他者の視点から自分を見ることによって、自分を客観的に見つめなおし、自分の考えを修正する意識をもつことが大切なのです。

こうしたセンスをもっていないと、自分の現実感覚が社会とどんどんずれていってしまう危険性があることを肝(きも)に銘(めい)じておきましょう。

つねに他者の視点で自分を見つめなおす

21 インターネットの"二つの罠"から抜け出す

前項でも述べたように、他人の視点を意識することなく、自分の視点だけで物事を考えていると、考え方が偏る危険性があります。

こういう話をすると、「自分はインターネットでいろいろな情報にふれているから大丈夫」と言う人がいます。インターネットで情報を探すことについて、どうこう言うつもりはありませんが、**インターネットには二つの罠があることに注意する**必要があります。

一つは、「フィルターバブル」です。インターネットで情報を集めていると、検索エンジンのなかに含まれるフィルター機能がどんどん発達して巨大な泡のようになり、いつしかそのなかに閉じ込められているような状態になります。

これがフィルターバブルという現象で、こうなると、**自分の興味のあることや、好きなもの以外の情報は入ってこなくなります。**

たとえば、時計が欲しくて時計の情報ばかり検索していると、頻繁に検索されるキーワードから、検索エンジンはこのユーザーは時計に興味があると判断し、時計の情報ばかり表示するようになります。検索結果を表示する順番も、ユーザーの興味にあわせて調整されます。

「いや、自分はインターネットでただ情報を検索しているだけじゃない。SNS（ソーシャル・ネットワーキング・サービス）で、たくさんの人とつながって会話しているから、視野が狭くなることはない」

こんなふうに豪語する人もいますが、ここにも罠があります。それが、「エコーチェンバー現象」です。

現実世界でのコミュニケーションとは異なり、SNSでは、自分にとって耳の痛いことを言ってくる相手のことを無視したり、ブロックして交流を遮断したりすることが簡単にできます。

でも、そんなことをしていると、SNSで**交流するのは自分と同じような考えや感覚をもっている人ばかりになっていき、気がつくと、自分の言ったことがそのまま返ってくる**反響室のようになるというものです。

インターネット漬(づ)けの人はだいたい、このフィルターバブルとエコーチェンバー現象の罠(わな)にとらわれます。その結果、自己を客観的に見ることができなくなり、意見が先鋭化し、過激な行動や事件に結びつく危険性が指摘されています。

こうした罠(わな)に陥(おちい)らないようにするには、なるべく生身の人間と接することです。そして、**自分とは異なる意見にふれるようにすることが大切**です。

たとえば、新聞は、各紙それぞれ論調が異なります。自分にとって受け入れやすい論調のものもあれば、そうでないものもありますが、違和感のある意見にも意識して目を通すことを心がけましょう。そうしないと、自分の考えだけがこだまする、エコーチェンバーに入り込んでしまいます。

複数の新聞を購読するのは費用的になかなか大変ですが、その点、テレビならチャンネルを変えるだけで、異なる論調の意見を聞くことができます。

その際、注意したいのは、自分とは反対の意見を聞いたときに腹を立てないようにし、違う考えの人がいるんだ、その人なりの理由と論理でそう考えているんだ、ということを受けとめ、自分と相手の考えを比較してみることが大切です。

私がコメンテーターとして出演している情報ワイド番組では、あえて意見の異なる2人のゲストを招き、議論を戦わせることがよくあります。ときには激しい論戦になることもありますが、もちろんけんかをしているわけではありません。

異なる見解をもつ人どうしが、意見をぶつけあい、話し合い、ディスカッションすることによって、問題があぶり出されていくわけです。そうした化学反応をねらったキャスティングであり、演出なのです。

別の意見をもった人たちが議論するのを聞くことも、考え方のバランスを保つことにつながります。

自分とは異なる意見を聞くことが考え方のバランスを保つ

22 ネガティブをポジティブに変換(へんかん)する方法

どんな物事にも、いい面もあれば、そうでない面もあります。人は、気分がいいときは物事のポジティブな面に、悪いときはネガティブな面に目を向ける傾向があります。

ですから、一つの物事を、いろいろな角度から見るのはとても大事だといえます。

たとえば、気持ちが落ち込んでいるときには、

「学校が家から遠くて通うのが大変」

「うちの学校にはいい先生がいない」

など、いま自分が置かれている境遇の嫌なことばかりが目につきます。

でも、**ネガティブなことばかり見ていると、人生はさらによくない方向に進んでいく**ことになります。嫌なことばかりだと思っていると、気分がさらに落ち込み、やる気がなくなっていきます。試験の点数が下がり、さらに嫌なことが生じ、それがまた嫌になって……と、どんどん悪循環にはまりこんでいきます。

そうした**悪循環を断ち切るには、「自分はネガティブなことを考えている」と自覚することがまず必要**です。「最近、うまくいかないな」と思ったら、物事の負の側面ばかりに注目していないか、自分をふりかえってみることです。

では、いま自分が見ているネガティブなものを、どうすればポジティブなものに転換できるかを考えてみましょう。

「学校が家から遠い」なら、通学に自転車を使うのはどうでしょう。通学時間が短くなるだけでなく、適度な運動になり、健康にもよさそうです。そんなふうに、何かをちょっと変えてみるだけでもいいのです。

「自分が学びたい分野にくわしい先生が学校にいない」という場合は、その状況を変えることはできないので、「その分野にくわしい先生がいる環境に行こう」と思うようにしましょう。そういった先生に出会えそうな大学、あるいは高校に進学しようと考えれば、受験勉強をもっとがんばろうという気になるはずです。

学校どころか、日本社会が嫌（いや）だと思うなら、海外に行けばいいのです。高校生が留学するなんて無理だと思うかもしれませんが、高校生でも海外の高校に留学することは可能です。高校によっては、海外の高校との交換（こうかん）留学制度があるところもあります。

そこで、「お金はどうすればいいんだろう？」という問題が出てくるかもしれませんが、大学の留学なら、留学先の国の政府から奨学金（しょうがくきん）の支給を受けられるケースもあります。

このように、**いまネガティブな状況にあっても、そこから抜け出すにはどうすればいいかを調べれば、さまざまな情報が入ってきます。**そして、具体的に何をすればいいかが見えてきます。

いま自分が置かれている状況に対して、ただ「嫌（いや）だなあ」と言っているだけでは何も変わりません。

ネガティブな状況をポジティブな方向に変えることを考え、情報を集めることが大切です。そうすることで目標が見えてきて、人生が変わる可能性が出てくるのです。

嫌(いや)な状況から抜け出すには、情報を調べ集める

23 留学でグローバルな生き方を手に入れる

日本人のノーベル賞受賞者の大半は、海外で勉強や研究をした経験があります。海外に出たまま、現地を拠点としている人も何人もいます。彼らの多くは、海外での経験が転機となって、才能を開花させてきたのです。

自分がそれまで生きてきた場所とは、言語も文化も価値観も、何もかもがまったく異なる環境に身を置く経験は、自分の凝(こ)り固まった考えを変える大きな力になります。

海外に出ることによって、まず、日本を客観視することができます。

さらには、日本における自分の人生も客観視することができます。

自分の将来についても、日本で就職し、日本で生きていくのとは別の可能性があることに気づくはずです。

たとえば、海外で現地の人に日本語を教える、あるいは、現地在住の日本人を相手に何かを教えるという仕事もあります。ずっと海外で生きていく道もあれば、数年ずつ海外と日本で仕事をするというスタイルも考えられます。

私は大学卒業後、カナダの大学院に留学しました。インターネットも普及していない当時、留学のための情報収集や手続きは、在日カナダ大使館に出向いたり、現地の大学に手紙で問い合わせたりと、なかなか大変でしたが、それも重要な経験だったと思っています。

誰かにお膳立てしてもらうのではなく、自分で試行錯誤しながら、一つずつハードルをクリアして留学にこぎつけると、留学先に到着した時点で、すでに一つのミッションを達成したことになります。

私の留学先はカナダのケベック州でしたが、ケベック州に入るにあたり、カナダ政府が発行するビザだけでは不十分で、ケベック州政府の審査を受ける必要があると、ケベック州当局から言われました。

でも、カナダの法律上は、国が発行するビザだけで問題はないはずでした。その後、いろいろ調べているうちに、ケベック州はもともとフランスの植民地で、イギリスとフランスの植民地抗争の結果、イギリスの支配下に置かれるようになったという歴史的経緯があり、大英連邦の一員であるカナダからの独立志向が強いことなどを知りました。

そのため、カナダ政府とは相容れない州独自の基準をあえて設けているのだということがわかり、ビザに関するトラブルについても納得がいきました。

そこから類推して、イギリスから独立したアイルランドとイギリスとのあいだで続く、北アイルランドの領有をめぐる問題など、さまざまなことがよりはっきりと見えてきたのです。

留学をしようと思い立ち、それに向けて行動を起こすだけで、自分自身の実地経験と結びついたかたちで、世界の情勢やさまざまな国の深い歴史的な事情、現在の政治状況などをつかむことにつながります。そして、それこそがグローバライゼーション（グローバル化）というものではないかと思います。

グローバル化というと、多くの人は英語を勉強することを考えますが、英語の決まり文句を言えることがグローバルというわけではありません。短期でも海外に留学することは、真にグローバルな発想や生き方を手に入れる第一歩になると思います。

いま、中学生や高校生のみなさんにも、留学は、できればいずれ経験してみてほしいことの一つです。

短期留学もグローバルな発想を手に入れる第一歩

24 環境を変えると世界の見え方が変わる

私は、カナダの大学院で最初に哲学科に入り、その後、物理学科に移りました。哲学科の授業でまず驚いたのは、みんながやたらと議論することです。

日本の哲学科の授業は、たとえばプラトンの著作について、各自が割りふられた箇所を順に発表し、最後に教授がコメントするというかたちで進むのが一般的です。

ところが、カナダの大学院では、プラトンの師であるソクラテスがほんとうに言いたいことはこうなんだとか、当時の社会状況における彼らの立場を現代社会に置き換えるとどうとか、延々と議論が続くわけです。

最初はとまどいましたが、ふと、「これが哲学なんだな」と思いました。議論すること自体が「哲学する」ということなのです。

それに気づいてからは、受け身ではなく主体的に「哲学する」モードに、私自身の意識が切り替わりました。

そして、物理学科に移っても、同じような光景が繰り広げられていました。大学院生と教授が膨大な数式をホワイトボードに書きながら、ああでもないこうでもないと白熱したディスカッションをしているのです。

つまり、「哲学する」わけです。哲学は、科学のルーツなのです。プラトンの著作のほとんどは対話篇で、複数の人物が話し合っている形式です。**みんなが何かについて、いろいろな意見をぶつけあって考えるのが哲学**なのです。

古代ギリシャの哲人たちがやっていた哲学が発展し、それぞれの学問に分化することにより、物理学や化学などの自然科学、経済学や心理学などの人文科学が成立していきました。

欧米の大学で博士号を取得すると、学問や研究の分野が何であれ、「Ph.D.」(ラテン語のPhilosophiae Doctorの略）という称号が与えられます。これはドクター・オブ・フィロソフィーといって、哲学博士のことです。すべての学問の原点は哲学であるとする伝統が、欧米の社会ではいまなお受け継がれているわけです。

ですから、学問の現場では、哲学のスタイルで真理を探究することが普通に行われています。日本から欧米の大学などに留学した人は、それにふれることで、それまでの呪縛から解き放たれ、めざましく能力を発揮するケースがめずらしくありません。

2012年にノーベル生理学・医学賞を受賞した、京都大学iPS細胞研究所の山中伸弥教授も、留学先のアメリカのグラッドストーン研究所で主体的で自由な研究風土にふれ、飛躍のきっかけをつかんでいます。

留学先の恩師から、**成功の秘訣は長期的な目標をもち、懸命に働くこと**だという意味の「VW（ビジョン・アンド・ワークハード）」という言葉を授けられ、それが研究人生のモットーとなったことを折にふれて語っています。

こういう話をすると、「日本はダメで、欧米はすばらしい」と言っているように聞こえるかもしれませんが、そういうことではありません。

たとえば、アメリカ出身の日本文学研究者として活躍したドナルド・キーンさんのように、日本にやってきて、日本の文化にふれることで才能を開花させるという逆パターンもよくあります。

自分が身を置く環境を変え、**いまいるところから別の場所に動いてみることで、世界の見え方が大きく変わる**ことがあるのです。

海外に留学するなどの思い切ったことでなくても、環境を変えることは、いつでも誰(だれ)でもできることです。

まずは、「どこか」への一歩を踏み出してみましょう。それが、あなた自身や、あなたの将来を大きく変えることになるかもしれません。

25
「夢日記」をつけて、自分からのメッセージを受け取る

私たちが眠っているあいだに見る夢は、科学的な研究の対象になりにくいとされてきました。夢をのぞき見ることはできないので、客観的に観察することが困難だからです。

でも、最近では、睡眠中(すいみんちゅう)の脳の活動を計測し、そのパターンから夢の内容を解読するという研究が進んでいます。

眠っている被験者の脳波をモニターし、夢を見ていると判断されるタイミングで被験者を起こして、どんな夢を見ていたかを聞き取るという方法で膨大(ぼうだい)なデータを集め、それを解析(かいせき)することにより、脳活動のパターンと夢の映像を関連づけるというものです。

従来、心理学的な領域に属すると思われてきた夢というものさえ、いまや脳科学的な

アプローチで研究され、客観的に解析していこうとする試みが行われているのは、とても興味深いことです。

夢には、自分自身の直感や深層心理が表れるといわれます。たとえば、受験で志望校選びに悩んでいたら、夢のなかで「この学校がいい」という「お告げ」があったという話を聞くことがあります。

これは、べつに超常現象などではありません。**自分のなかではすでに結論が出ているのに踏み切れないでいるとき、その深層心理が夢に表れているの**です。

自分自身が自分に、夢というかたちで語りかけるメッセージに耳を傾けるのも、大切なことかもしれません。ただ問題なのは、目が覚めると、眠っているあいだに見ていた夢はほとんど忘れてしまうことです。

自分の夢をモニターする方法の一つは、「夢日記」をつけることです。毎朝起きたらすぐに、直前まで見ていた夢の内容をメモするのです。悩んでいることや迷っていることがあるとき、論理的に考えたり、まわりの人の意見を聞いたりするのもいいでしょう。

でも、もしかしたら、「夢日記」のなかにその答えがあるかもしれません。
「ほんとうは、こうしたい」という思いがあっても、自分自身でそれに気づいていないことはよくあります。無意識のうちに本心を押さえつけているとき、夢のなかでその制約がすべて取り払われ、自分の純粋な気持ちがあらわになることがあるのです。
「夢日記」をつけて、自分からのメッセージを記録すると、ほんとうに自分がやりたいことは何なのかが見えてくることもあるのではないかと思います。

視覚をつかさどる脳の領域の情報から、夢を映像化することが、すでにある程度までは技術的に可能になっているといいます。今後、さらに研究が進めば、夢を完全に映像で再現することができるようになる可能性もあります。

自分で「夢日記」をつけるかわりに、科学者が夢の映像をもとに、「あなたのやりたいことはこれです」と診断してくれる時代が、そう遠くないうちにくるかもしれません。

朝起きたら、すぐに直前まで見ていた夢をメモする

第4章 文系の人にこっそり教える理系的生き方

26 「まずやってみる」の発想でチャンスをつかむ

新しいことを始めるときには、次の二つのやり方があります。

❶問題が起こらないよう、事前に調整を重ねてから始める（事前調整型）
❷まず始めてみて、出てきた問題はあとから調整する（事後調整型）

理系の人の発想は、基本的に、❷の事後調整型です。どんな問題が起こるかを、すべて事前に予測することは不可能だからです。万全の調整をしてから始めようと考えているかぎり、いつまでたっても何も始めることはできません。

そのあいだにも科学技術はどんどん進歩していきます。やるつもりだった「新しいこと」よりも、さらに新しいことがどんどん出てきます。ですから、ある程度、問題が生じる可能性があったとしても、「まず始める」ことが重要だと、理系の人は考えます。

ところが、日本の社会は、宿命的といえるほど完全な事前調整型です。何かにつけて、「前例に則して」とか、「決まった枠組の範囲内で」といって調整することが求められます。そして、関係各所の理解や同意をすべて取り付けてからでないと、新しいことを始めることは許されません。

でも、そんな日本にも、事後調整型だった時期が過去に二度ありました。明治維新後と、太平洋戦争直後です。

まず、明治維新後は、江戸時代の仕組みをリセットするために、とにかくやってみて、あとから考えるという事後調整型にならざるをえませんでした。

次の戦争直後は、敗戦により、国や社会のあらゆる仕組みがリセットされ、従うべき前例や決まりがすべて失われたわけですから、とにかく始めるしかなかったのです。ちなみに、このとき、新規事業に意欲的に乗り出すベンチャー企業が数多く生まれ、のちに大企業に成長したものもあります。

この二度の時期に、日本社会は大きく発展しました。しかし、現在の日本は、前例主義と事前調整に縛られ、深刻な閉塞状況にあります。

そうした状況を打ち破るには、何が必要でしょうか。ここで一ついえるのは、過去二度の事後調整型への転換は、黒船の来航や、敗戦とそれに続くGHQ（連合国軍最高司令官総司令部）による占領など、いずれも外部からの力が作用していたことです。

いま、それに相当するものがあるとすれば、第4次産業革命の急激な進展でしょう。新型コロナウイルスの感染拡大にともない、リモートワークやオンライン授業、キャッシュレス決済などの必要性が強く意識されています。インターネットの重要性はさらに高まり、ICT（情報通信技術）インフラがいやおうなしに私たちの生活を変えようとしています。

ここで補足すると、機械工業が始まった18世紀の第1次産業革命から、電力と石油の活用により大量生産が可能となった第2次産業革命、エレクトロニクス（電子工学）とコンピュータの発達により生産の自動化が進んだ第3次産業革命を経て、現在、第4次産業革命が進行中です。

さて、AI（人工知能）やロボット、5G（第5世代移動通信システム）、インターネットにあらゆるものがつながるIoT（モノのインターネット）といった先端技術により、人間の社会や産業が大きく変わろうとしているなかで、日本はこうした技術革新にことごとく乗り遅れ、周回遅れの状況にあるといわれています。

それは、**世界が事後調整型で前進しているのに、日本が事前調整型でありつづけ、新しいものを生み出せなくなった**からです。

でも、第4次産業革命が進んでいく以上、そう遠くないうちに、その波に押されるかたちで、日本の社会が事後調整型に変わらざるをえなくなる局面がやってくる、と私は思います。

いま中学生や高校生のみなさんが、社会に出て活躍しはじめるころには、おそらくそのような時代に入っているだろうと思います。そのとき、**みなさん自身が、「まずやってみる」という事後調整型の発想をもっていれば、活躍できるチャンスがある**といえます。ただし、活躍できる場は、既存の大企業にはないと思っていたほうがいいでしょう。

ここで、**みなさんに知っておいてほしいのが、「オープンイノベーション」という言葉**です。これは、企業が、外部からアイデアや技術を募集し、革新的な商品やサービスを開発することを指します。技術革新が組織内で起こるのではなく、外部からもたらされるということです。

革新的なアイデアは、概して大きな組織の外にあります。だとすれば、大きな企業が新しいものを生み出すためにできることは、外部のベンチャー企業に注目し、「これはすごい」というアイデアをもっているところを見つけて、共同で研究開発を行うことです。

そうしたオープンイノベーションが主流となる時代が、まもなくやってきます。そこで活躍しようと考えるなら、大企業に入ることをめざすのではなく、**自分自身がベンチャービジネスを起こし、大企業から注目される存在になるという感覚で生きていく**ほうがいいのではないかと思います。

それには、「先に始めてみる。調整はあとから」という発想が不可欠です。それをいまから意識することで、あなたの未来は変わるはずです。

27 AI時代を生きる文系に教えておきたいこと

産業革命が起こるということは、人類の生活が便利になるとともに、生産活動にかかる時間や労力などのコストが下がるということです。

第1次産業革命以前は、基本的にすべての労働を人力でまかなっていたため、ものづくりや土木、建築など、あらゆる分野で多くの人が重労働を強いられ、奴隷と呼ばれる人たちが酷使されてきました。

でも、産業革命を経て、奴隷がやっていたような労働は機械がやるようになりました。機械にやらせたほうが圧倒的に効率がよく、低コストだったからです。

機械にとって代わられた職業の人たちは、必然的に仕事を変えることになります。それは、過去三度の産業革命で毎回起こったことです。

たとえば、電話交換手や、駅の改札で切符を切る駅員は、いまはもういません。電話回線が自動で接続され、また、駅に自動改札機が導入されたことにより、そうした仕事はなくなったのです。

産業革命が進むと、このような仕事の配置転換が起こります。それは、第4次産業革命も例外ではありません。

そして、おそらく、**配置転換を余儀なくされるのは、文系の人のほうが多い**はずです。なぜなら、理系の人は、産業革命によって技術革新にかかわる人が多いからです。

たとえば、AIやロボット、IoT、5Gといったものにかかわるエンジニアや科学者などには、配置転換は起こりません。時代を先に進める仕事なので、むしろ新しい仕事が増えていきます。AIを管理するというような、これまでになかった職種が生まれ、そのニーズが増えていくことでしょう。

では、文系の人は、どうすればいいのでしょうか。不安になりますね。でも、テクノロジーが進化しても、必要とされる仕事は一定数あります。

たとえば、教育などの人間にかかわる仕事です。AIを使った学習などは、これからも増えていくと思われますが、人間の先生がいなくなることはありません。なぜなら、AIには心がないからです。心をもたない存在に、心の教育はできないのです。

不良少年がいい先生にめぐりあって更生することはあっても、ものすごく性能のいいAIに出合ったところで更生はしないでしょう。

精神科医や心理学者、人間の心や体を癒す療法を行うセラピスト、マッサージ師などの職業も、なくなることはありません。いくら高性能のマッサージ機ができたとしても、優れた技をもつ人間の施術にはかなわないでしょう。

また、芸術系やスポーツ系の職業もなくなりません。ロボットが100メートルを9秒で走ったとしても、誰も感動しないからです。

身体能力の限られた人間がものすごい鍛錬を積んで競い合い、その結果、9秒台で走るからこそ、みんなが感動するわけです。

産業革命がまさに進行している領域と、基本的に人間だけがかかわっている領域があり、文系は後者の領域のなかで配置転換が行われると思います。そのなかで、自分が何をしたいか、何ができるかを考えていくことが大切です。

ただし、**文系の人でも、ある程度、プログラミングの勉強をしておく**ことをおすすめします。これは、第2章で述べたように、論理学を学ぶことと大きな関係があります。**プログラムを書くということは、じつは論理的な文章を書くことと同じ**なのです。

プログラミング言語は英語なので、英語で論理的な文章が書けることが、すなわちプログラミングです。それはコンピュータ自体が、英語で論理的に考えるようにつくられているからです。

プログラミングを勉強することは、論理的な発想法の勉強にもなることはまちがいありません。

プログラムを書いて英語力や論理的な発想を鍛えておこう

28 文系のつもりが、〝根っから理系〟の可能性も!?

社会がAI時代を迎えるなか、

「理系のほうが仕事の選択肢が広がるかもしれないから、いまからでも理系にシフトしたいけど、数学が苦手だから……」

と思っている文系の人も多いのではないでしょうか。

文系の人というのは、「数学が苦手だから、自分は文系だ」と思っているようですが、はたしてほんとうにそうでしょうか。

というのも、みなさんが**学校で教わっている数学は本物の数学ではない**からです。「理系センス」という意味での数学は、もっと楽しいものです。そこに気づいていないだけだとしたら、あなたはもしかすると〝根っからの理系〟かもしれませんね。

何が言いたいかというと、文系だからではなく、**むしろ理系すぎるために、学校の数学がつまらないと感じている可能性がある**ということです。そうだとすれば、楽しい数学の本を読むことで、数学に開眼して理系にシフトできる可能性は十分にあります。

学校の授業は大切ですが、本物の世界はそれとは別のものだということを理解しておいたほうがいいと思います。

「学校で勉強する物理はつまらない」

と、たくさんの人が言います。物理学の専門家でさえ、そう言います。

それはそうだろうと思います。なぜなら、公式を暗記しなければならないからです。でも、本物の物理学の世界では、公式の暗記をすることはありません。

理系の人が理系の世界にいる理由は、「楽しいから」です。遊びの延長だからです。たとえば、小説を読むのが好きな人にとって、小説を読むことは勉強ではなく、遊びの一種だと思います。

数学もそれと同じです。もし、あなたが理系の世界にある遊びの要素に気づき、それでほんとうに遊べるようになれば、もはや立派な理系といえるのです。

『岩波 数学公式』（森口繁一・宇田川銈久（かねひさ）・一松信（ひとつまつしん）著、岩波書店）という全3巻の数学の公式集があります。私の友人の物理学者は、合計1000ページ以上にもおよぶその公式集に出ている公式を、すべて自分で新たに導くということをやっていました。

べつに誰（だれ）に頼まれたわけでもなく、本人が楽しんでやっていたのです。そんなことをして、いったい何が楽しいのかと思うかもしれません。たしかに、過去の大数学者たちが発見した公式を、ただ覚えるだけでは何もおもしろくありません。

でも、彼らがどうやってその公式を発見したのか、それを自力でたどってみるのはクリエイティブであり、すごく楽しいものなのです。

理系の世界は、記号操作の世界ともいえます。記号を操作することによって、ものすごいことが起こります。

たとえば、コンピュータのプログラミング言語という記号を操作していくと、多彩なグラフィックスができたり、ロボットが動いたりするし、物理学の公式という記号を操作していくと、ロケットが飛んだりするわけです。

記号操作というのは、イメージとしては、ブロック玩具を組み立てるようなものです。夢中で組み立てているうちに、飛行機が飛ぶといったような、スケールの「すごいもの」ができるわけです。

理系の世界は、とてもワクワクするクリエイティブな世界です。それが見えてくると、すごく楽しくなります。

理系の世界の遊びの要素に気づけば楽しくなる

29 芸術で生きていく人も、これからはコンピュータが必須

いまの映画などの映像表現には、コンピュータグラフィックス（CG）が不可欠になっています。実写にしか見えない、息をのむほどリアルな風景やキャラクターを全編にわたってCGで表現し、〝超実写版〟と銘打たれた作品なども登場しています。

数学力を駆使したCGという技術が、芸術表現のなかにどんどん入ってきており、これからの時代はそれがますます進んでいくでしょう。

CG自体は、数学が不得意でも扱うことができます。とはいえ、パソコンの操作一つ

であれだけの映像をつくるわけですから、**これから映像表現に携わる人はコンピュータを高度に使いこなす能力が必須**といえます。

従来の映像表現の世界で必要だったのは、実際の風景や俳優の演技を実写で撮影する技術、あるいはアニメーターが描くことによってアニメーションを作成する技術でした。実写やアニメによる表現は、これからも続いていくと思いますが、それらが融合し、コンピュータだけでできてしまう時代が到来しつつあるわけです。

リアルでありながら、実写では撮影することが不可能な映像を実現できる、コンピュータによる映像制作が、今後は一大産業となっていくはずです。

芸術分野においては、表現手段としてコンピュータを駆使する技能が不可欠となります。アートの世界で生きていくなら、芸術的センスとともに、それを表現するためのコンピュータの技能を磨くことが重要です。

30 想像やフィクションが世界を前進させる

自動車で地上を走るような感覚で空をドライブできる「空飛ぶ自動車」が、まもなく実用化される見込みです。

この「空飛ぶ自動車」は、すでに100年ほど前の雑誌の未来予想図に描かれていたわけですが、いま、ドローン技術、コンピュータの制御技術、AI技術の三拍子がそろったことにより、現実のものになろうとしています。

ただ、これが可能になったのは、そもそも、「空飛ぶ自動車」を想像した人がいたからです。空を飛びまわる自動車というイマジネーションがあったから、それを形にしようとする人が現れたのです。

最初にそれを思いつく人がいなければ、誰も「空飛ぶ自動車」をつくろうとは思わないでしょう。誰かがそのアイデアを小説や漫画、映画などで創作し、世の中に広めたからこそ、それを読んだり観たりした人たちのなかから、現実のものにしようとする人が現れてくるわけです。

つまり、小説などの**フィクションが存在しなければ、おそらく世界は前に進みません。**先日、雑誌の対談でお会いした、若手のAI研究者の大澤正彦さんは、漫画やアニメで親しんでいた「ドラえもん」をつくりたいという、子供のころからの夢を実現するために、AI研究の世界に入ったそうです。

そして、最新のAIやHAI（ヒューマン・エージェント・インタラクション。人間とロボットなどとの相互作用に関する学問）の研究をもとに、その夢に本気で取り組んでいます。

想像の世界を現実化するのが理系のエンジニアや科学者たちですが、それによって技術や社会が進歩していくとすれば、文系お得意の〝フィクション〟はその起点となるものであり、それを生み出すことはきわめて重要です。

想像力や、多くの人の感情に働きかける文章表現力など、「文系センス」をいかんなく発揮すべきといえるでしょう。

文系お得意の〝フィクション〟が技術や社会を動かす

31 パラダイムシフトで取り残されないために

科学の発展の歴史には、いくつもの大きな転換点(てんかんてん)がありました。第3章でお話ししたコペルニクスの「地動説」もその一つです。

現代の私たちにとって、「地球が宇宙の中心ではない」というのは当たり前のことですが、「天動説」が常識だった世界では、まさに天地がひっくり返るような発見だったわけです。

このように、**その時代に常識とされていたことが大きく変化することを「パラダイムシフト」といいます。**

この言葉は、いまでは一般用語となっていますが、もともとはアメリカの科学史家トマス・クーンが提唱した概念(がいねん)で、科学の発展において革命的な変化が起こることを指しています。

すなわち、パラダイムシフトが起こると、それまでとは完全に考え方が変わり、古い考え方では理解できないものがやってきます。

ですから、いまの常識が支配する世界において、自分は知識人であるという自信があるとしても、**パラダイムシフトが起これば自分の理解の範囲を超(こ)えるものがやってくる**ことを、つねに意識しておく必要があります。

パラダイムシフトは、過去に何度も起こっています。ガリレオ・ガリレイが自作の望遠鏡で月にデコボコがあることを発見したり、アイザック・ニュートンが宇宙全体のすべての物体のあいだに働く力、すなわち万有引力を発見したりしたことなどもそうです。

これらの発見によって、「月は神聖で特別なもの」とか、「天上界と地上界では自然法則が異なっている」といった、それまでの常識は打ち崩(くず)されました。

しかし、多くの人にとって、古い考え方から新しい考え方へシフトすることは、そう簡単ではありません。当時の大多数の人の感覚からすれば、コペルニクスやガリレイやニュートンの言うことこそ、おかしな考え方であり、理解することも受け入れることもできないものでした。

このような無理解は、パラダイムシフトにはつきものです。

「宇宙には一つの絶対的な時間があるのではなく、無数の相対的な時間が存在する」

この、アインシュタインの相対性理論もまた、パラダイムシフトをもたらすものでした。

ちなみに、アインシュタインは、長いあいだノーベル賞候補にあがっていたにもかかわらず、なかなか受賞できませんでした。古い考え方からシフトできず、相対性理論を認めたがらない物理学者が、ノーベル賞の選考委員のなかにいたからです。

ようやく1922年に、その前年度のノーベル物理学賞を受賞しますが、これは相対性理論ではなく、光量子仮説の研究に対して与えられたものでした。

アインシュタインですら、自分の考え方を、科学の関係者や、自分の仲間である物理学者に理解してもらうまでに長い時間を要しています。それを考えれば、いま進行中の第4次産業革命で何がどう変わるかを私たちが理解しきれないとしても、しかたのないことかもしれません。

でも、少なくとも、**理解できない大きな変化が起こっていること自体を、謙虚(けんきょ)に受け入れる姿勢が必要**です。それが、大きく変化する時代に取り残されることなく生きていくために、なにより大切なことだと思います。

32 夢はいろいろもつことで実現する確率が高くなる

「ユーチューバーになりたい」

「ゲームを極めて、eスポーツの世界でプロになりたい」

あなたがこのような夢をもっているとして、それをまわりの人に打ち明けたら、どんな反応が返ってくるでしょうか。

「でも、それでお金を稼げる人なんて、ほんのわずかでしょう。そうなれる確率はかなり低いんじゃないの？」

たしかに、そのとおりかもしれません。でも、だからといって、そうした夢を追い求めてはいけないわけではありません。

たとえ確率が低くても、ゼロではない以上、あなたがユーチューバーやeスポーツ選手、あるいは宇宙飛行士や世界的なピアニスト、プロ野球選手になれる可能性はあります。夢があるのなら、それを実現するために努力を重ね、その夢に近づいていけばいいと思います。

そして、**夢があって、それが実現する確率が低い場合にすべきことは、何もしないうちからその夢をあきらめることではなく、より確率の高い別の夢を同時にもつ**ことです。

そこで、まずやっておきたいのは、**夢がかなう確率を数字で客観的に把握（はあく）する**ことです。たとえば、高校野球の選手でプロ野球選手になれる確率はどれくらいか、ご存じでしょうか。

日本高等学校野球連盟によれば、2019年の全国の野球部員数は14万3867人です。このうち、日本野球機構（NPB）が行うドラフト会議で指名対象となる高校3年生は4万8804人ですが、2019年のドラフト会議で指名された高校生は52人です。

ちなみに、これは過去10年間で最多の数字です。この年をサンプルにして単純に計算すると、高校球児が高校卒業後すぐにプロになれる確率は、約0・1%になります。

さらに、プロ球団に入った選手のうち、何人がどれくらいのお金を稼いでいるか、現役選手としての活動年数は平均何年くらいか、引退後はどんな仕事をしているか、といったことも、統計を調べれば数字が出てくるはずです。

そのうえで、プロ野球選手になるという夢が実現しない確率を考慮し、それ以外の道を同時に考えておく必要があるわけです。

ユーチューバーとして生計を立てられるのは、一説によれば3%程度といわれています。生計を立てられる収入金額の基準によっては、1%以下とする推定値も見られます。

でも、動画をつくることが好きで、それを仕事にしたいという夢をもっているとすれば、ネット広告向けの動画制作などを行う会社で働くという道もあります。そうした会社は、社員が数人から数千人のところまでたくさんあるので、この夢はユーチューバーとして成功するよりも、かなり実現する確率が高いといえます。

このように、ユーチューバーとして成功する夢と、動画制作を仕事にする夢の両方をもっていれば、夢がかなう確率は総合的にアップします。そして、ユーチューバーに向けてがんばりながら、動画制作の準備や勉強も同時進行で進めていけばいいのです。

ここで**重要なのは、それぞれの夢に順位をつけないこと**です。1番の夢はこれで、それがだめなら2番はこれ、というふうに考えると、頂点にたどり着かなかったときに、「自分は夢を実現できなかった」という挫折感(ざせつかん)を一生抱えて生きていくことになります。それではは人生がつまらないものになってしまいます。

好きなことをいくつかもっていて、そのどれかで生計を立てられればいいなと考えていれば、どの方向に進んだとしても、楽しく、幸せに生きられます。

ですから、可能なかぎりたくさんの夢をもち、それを追いかけていきましょう。いろいろな夢があるほど、あなたが人生で夢をかなえられる確率は100%に近づいていきます。

第5章
文系・理系の壁を飛び越えよう

33 文系・理系両方のセンスがあると、こんなに強い

私は、少年時代から科学が好きでした。でも、大学進学にあたっては法学部に進もうと考え、東京大学の文科一類（法学部進学課程）に入学したのです。

でも、結局、法学部には進まず、教養学部教養学科に転部して科学哲学を学び、卒業後に学士入学で東大の理学部物理学科に3年生から入りなおしました。

そして、東大を卒業後はカナダの大学院に留学し、まず哲学科で学んだのち、物理学科に移るというように、理系と文系を行き来しつつ歩んできました。

その過程で、おのずと「理系センス」と「文系センス」の両方を磨く機会に恵まれたわけです。そして、サイエンス作家という現在の私の仕事は、その二つのセンスをどちら

も活かすことができるものだといえます。

もうすこしくわしくお話しすると、理系の世界について、事実のみを記述するだけでは読む人が限られます。読者を惹きつけるには、「わくわくする」とか「楽しい」といった読み手の感情を喚起する文章力が求められるのです。

私の仕事は、まさに客観的な事実に感情を盛り上げる味付けをして、読者に提示することです。**理系的な事実を素材に、文系的な表現活動をすることによって、科学の話題を幅広い人に伝えることができるのは、文系と理系の両方の世界を通ってきたメリット**だといっても過言ではないでしょう。

私は仕事柄、経営者の方たちにもよくお目にかかりますが、成功している経営者はみなさん、「理系センス」と「文系センス」をバランスよく発揮していると思います。

たとえば、コスト管理などにおいては、論理的に判断できる「理系センス」がものをいいます。でも、組織の最適化だけを優先して従業員をリストラすれば、現場の士気は下がり、業績の悪化を招く可能性があります。ですから、従業員や顧客の感情面を汲み取れる「文系センス」が重要になります。

このように、**経営には理系と文系の複合的なセンスが求められます**。どちらか一方ではうまくいきません。そのため、理系の経営者と文系の経営者の二人で経営を分担するというケースもよく見られます。

たとえば、本田技研工業には本田宗一郎さんと、財務の天才、藤沢武夫さんがいました。また、ソニーでは、技術屋の井深大さんを盛田昭夫さんが支えつづけたのです。

近年では、アップルの共同設立者であるスティーブ・ジョブズとスティーブ・ウォズニアックが有名です。

ジョブズは、パーソナルコンピュータ「Macintosh」をはじめ、数々の画期的なデジタル製品の〝生みの親〟といわれますが、彼自身はプログラミングはさほどできず、いわゆる理系ではありませんでした。

テクノロジーの開発は、天才エンジニアと謳われたウォズニアックが担当し、顧客のニーズをつかむ能力とプレゼン能力に優れたジョブズが、それを製品化するという役割を担うことで、アップルは大きな飛躍を遂(と)げたのです。
経営者として理想的なのは、「理系センス」を理解しつつ、組織全体をうまくまとめられる「文系センス」をもつ人だ、と私は思います。ですから、文系の人は、持ち前の「文系センス」を磨(みが)くとともに、「理系センス」を理解しつづける意識をもつことが大切だといえます。

「文系センス」を磨(みが)きつつ「理系センス」を理解しつづける

34 理系の論理と、文系の感情のバランスを保つ

理系は論理的に、文系は感情的に考える傾向があると、前にお話ししました。それは、

どちらがよいとか優れているということではありません。

　論理と感情はどちらも必要なものです。とはいえ、論理的な判断がなされるべき場面で感情的な議論が入り込むことにより、物事がうまく進まなくなることは、現実にしばしば起こります。

　たとえば、福島第一原子力発電所の汚染水をめぐる問題です。２０１１年の東日本大震災による原発事故後、廃炉作業が続く福島第一原発では、放射性物質を含む汚染水が大量にたまりつづけ、貯蔵しきれなくなってきています。

　そこで、この汚染水を希釈して海に放出することが検討されています。

　そう聞くと、多くの人は感情的に「大丈夫なの？」と不安になると思いますが、専門家会議の結論としては、「薄めて海に流すのが最善」ということになるのです。

　汚染水に含まれる放射性物質のうち、浄水処理後も残るのはトリチウムです。トリチウムは三重水素とも呼ばれるもので、要するに水素の仲間です。大気中の水蒸気や雨水、海水にも含まれており、私たちの体内にも微量が取り込まれています。体内に取り入れても排出(はいしゅつ)されるので、長期的な被曝(ひばく)の心配はありません。

カナダや韓国(かんこく)などでも、トリチウムを含んだ水を希釈して海洋への放出が行われています。これらのことを論理的に考えると、結論は一つです。

でも、漁業などの風評被害の問題が非常に大きいのも確かです。そのため、専門家会議は感情的な批判を恐れ、結論を明言することを避けました。

理系的な論理が、文系的な感情によって揺(ゆ)さぶられるのは、報道に携(たずさ)わるメディア関係者の大半が文系で占められていることと無関係ではないと思います。**科学的な事柄に関しても、感情的な方向に引き寄せた報道がなされがち**で、それが世間の空気に大きな影響をおよぼしている面があります。

もう一つ、例をあげましょう。

新型コロナウイルスワクチンの安全性の問題です。パンデミック(感染症(かんせんしょう)の世界的な大流行)を終息させるために急ピッチで開発を進めなければならず、一部の国や製薬会社が即効性を重視するあまり、長期的な安全性の考慮をおろそかにする可能性は否定できません。

理系的な判断であれば、緊急時のワクチン開発について理解したうえで、論文や治験についてくわしく調べ、自分なりに危険度を見極めるはずです。たとえば、100万人に1人がワクチン接種によって健康被害を受けると見積もられた場合、ワクチンを打たないことによる諸問題（自分が死亡したり、他人に感染させ重症化させたりするリスク）と、ワクチンを打って健康被害を受けるリスクを冷徹に天秤にかけて考えるのです。

しかし、仮に100万人に1人だとしても、愛するわが子がその1人となり、健康被害にあう可能性が捨てきれないからと、ワクチン接種を拒み、学校に行かせず、自粛を続ける、という感情的な反応もあるはずです。

あるいは、自動車の交通事故による死亡率よりも飛行機事故による死亡率のほうが圧倒的に低いから、普通に飛行機を利用する、というのが論理的な判断でしょう。

でも、まれにしか起こらないとはいえ、いったん飛行機が墜落したら、生存確率が低いのも事実なので、絶対に飛行機には乗らない、という感情的な判断をする人がいても不思議ではありません。

このように、論理と感情のどちらか一方に偏り、**論理が感情を無視したり、あるいは感情が論理を曲げたりすることがあれば、最良の判断に行き着くのは難しくなります。**

「理系センス」と「文系センス」、論理と感情のバランスを意識することが、個人と社会のどちらにとっても必要だと思います。

35 論理的なのか、感情によるのか、を見極める

論理と感情に偏りがないかどうか、つねにチェックを怠らない

前にもお話ししましたが、文系が主観的、感情的で、自分や相手の「気持ち」を気に

する一方、理系は数字ありきの客観的な議論を好みます。

そのため、理系の人は、文系の人からは冷たい人と思われがちですが、決して彼らに人間的な温かみが欠けているというわけではありません。

論理的な考えを前面に出して議論している人も、家に帰れば家族やペットに愛情豊かに接していたりするものです。

ただ、論理的に判断する場面では、いっさいの感情をはさまず、徹底して論理的に判断しています。それを、文系の人がなぜ「冷たい」と感じるのかといえば、感情的に考えているからです。

たとえば、新型コロナウイルスの感染対策として、ある学校が、登校可とする生徒の体温について「37度以下」という基準を決めたとします。

その場合、37・1度の生徒が登校してきたらどうなるでしょうか。

論理的な判断はシンプルで、決定した基準の数値を超えている以上、その生徒の登校は認められません。

でも、感情的には、「たった0・1度高いだけなのにかわいそう。厳しすぎるのでは」といった違和感を感じる人も出てきます。

そこで、その違和感の正体を冷静に見つめ、それが感情からきているものであると認識し、登校を不可とする判断は純粋に論理的なものとして、両者を分けて考えることができれば、やみくもに腹を立てることはないはずです。

ただ、このケースでいえば、そもそも37度以下という基準が妥当なのかということは、また別の問題です。

感染症法が示す発熱の基準は「37・5度以上」ですが、この数値自体もおそらく科学的な根拠があるわけではなく、法律上そう定義されているにすぎません。基準の設定にあたっては、そのほかにもさまざまなデータや状況を考え合わせて判断することが求められます。

自分や他人のさまざまな意見や判断について、**これは論理的、科学的なのか、感情によるものなのかを、そのつど見極める**ことが大切だと思います。

見極めやすいポイントは、喜怒哀楽です。論理的、科学的な考えからは、喜怒哀楽の感情は出てきません。

そこでわかるのは、怒っている人、あるいは泣いている人は、その時点で論理的ではないということです。

お店で店員さんに向かって怒りながらクレームをつけている人は、その時点で論理的に考えて話していないことは明らかです。

もちろん、喜怒哀楽があってはいけないということではなく、あくまでも、それは論理とは別のものだということです。

論理的ではないということは、いいかえれば感情が豊かということで、それは決してネガティブなことではありません。

生物の進化という観点からすると、人間の感情が発達したのは、おそらくそのほうが生き残るために有利だからです。

たとえば、私たちは、論理的に考えれば怖くないはずの状況でも、怖いと感じて逃げ

ようとすることがあります。

論理的に「これは逃げるべき状況なのか」と考えて判断していると、場合によっては逃げ遅れてしまいます。

それよりは、**とにかく怖いという感情にしたがって逃げたほうが、生き延びる確率は高くなります。**

生き延びるための方法を論理的に考え、行動することも大事ですが、それにはある程度の時間が必要です。山のなかを歩いていて野生動物に出くわしたというような、事前の想定が難しい事態に直面したときは、感情が下す瞬間的な判断に頼るしかありません。

必ずしも論理的な判断が正しい、あるいは最善であるということではなく、感情を考慮することで適切な判断ができることもあります。**何か重要な決定をするときは、文系と理系がバランスよくそろったメンバーで判断できるといい**のではと思います。

感情による瞬間的な判断も捨てたものではない

36 なぜ、日本人は論理に弱いといわれるのか

ところで、日本人はどちらかというと、感情的、情緒的(じょうちょてき)な面が強く、論理的に考えることが苦手な傾向があります。

アメリカの大学院に進学するための共通テスト（GRE）では、論理的な思考法のテストがあります。日本では、そのような論理に特化した試験は存在しません。それは、日本の社会では論理学が重視されていないことの表れだと思います。

日本人が論理に弱い要因として考えられるのは、儒教の影響です。

約2500年前の中国の思想家、孔子の考えを基礎とする儒教の教えは、日本を含む東アジアの人びとの生活や文化に深く浸透しています。

年長者を敬うことなどを重視する儒教は、必ずしも論理的ではありません。儒教を軸として培われてきた東アジアの倫理観は、本質的に論理的、科学的な考え方とは相容れない部分が大きいのではないか、と私は考えています。

同じ儒教文化圏に属する韓国もまた、論理よりも感情が強い国という印象があります。たとえば、韓国では、社会的な問題を起こした人に対して、法律に基づいて責任を追及するだけでなく、土下座してあやまることを求めたりするケースがしばしば見られます。

土下座には、怒っている人びとの感情を収めるためという以外の意味はありません。

つまり、非論理的な行動ということです。

一方、中国は近年、国をあげて科学を推進しています。AIなどの分野でも大きく前進しています。

中国の場合、科学や論理によって社会を最適化することにより、儒教的な伝統を封じ込めているように思います(私は、中国の軍事政策には反対ですが)。

日本の場合も、1950〜70年代の高度経済成長期までは、それに近い路線で進んでいました。

でも、その後、経済成長に陰りが出るとともに、原子力発電所の事故など、科学への信頼が揺らぐ出来事が起こるなか、日本人の儒教的な意識がふたたび強まってきているのではないかと思います。

倫理に縛られると論理的な考え方ができなくなる

37 「リスクゼロでなければダメ」と考えることのリスク

前項から続きますが、日本は倫理(りんり)の支配力がきわめて強い国だといえます。社会のさまざまな場面で、非常に厳しい倫理(りんり)基準が設定され、そこからすこしでも外れることは許されないという風潮があります。

ときとして論理が破綻(はたん)するまで倫理(りんり)を追求し、無理な要求につながってしまうこともあります。その代表的なものが、「リスクゼロ」の要求です。

でも、科学者やエンジニアは、リスクゼロ、つまり、「危険が生じる可能性は皆無である」とは絶対に言いません。

一方で、「リスクゼロでなければ絶対にダメ」と言う人もいます。たとえば、よく聞かれるのは、「放射能はゼロでなければダメ」という声です。

でも、「放射能ゼロ」というのは、科学的に不可能です。放射性物質は宇宙全体に満ちているし、私たちの体内にもあります。ですから、どう考えても、放射能をゼロにすることはできないのです。

論理的に不可能なリスクゼロを求めるのは、感情的な不安をなくしたいからです。このような「リスクゼロ思考」は、医療やロケット開発、原子力発電など、テクノロジーが関係するあらゆる場面で出てきます。

リスクを可能なかぎりゼロに近づける努力は、当然なされるべきですが、「リスクゼロでなければ認めない」とするのは建設的ではありません。

リスクゼロ思考を突きつめていくと、先にもお話ししたように、「飛行機に乗ることはやめるべきだ」という発想になりかねません。飛行機事故のリスクはゼロではないからです。

リスクゼロ思考の反対は何かというと、「失敗を糧(かて)に、同じ失敗を繰り返さないよう改善していこう」という発想です。

日本では、JAXA（宇宙航空研究開発機構）のロケット打ち上げが失敗すると、「税金が投入されている事業なのに、失敗するとは何事か」という批判が巻き起こります。

でも、NASA（アメリカ航空宇宙局）のスペースシャトルの打ち上げが失敗したときには、その種の批判はほとんど起こっていません。

それよりも、なぜ、事故が起こったのかを科学的に解明する調査委員会を早急に立ち上げ、ふたたび同じような事故が起こらないよう取り組むことが真っ先に考えられます。

自動車メーカーが、製造・販売した自動車に不具合が見つかったとして、無償で修理をするリコールを行うことはよくあります。

リスクゼロ思考からすると、そもそも不具合のある車を世に出すべきではないということになります。事前に不具合が出ることがわかっているなら、そんな車はつくらないはずです。不具合が絶対に出ない車しかつくってはいけないというのなら、メーカーは何もつくれなくなります。

それよりも、不具合が出たらリコールして、次につくる車からは同じ不具合が出ないように改善していくのが論理的な発想です。

リスクゼロにとらわれることによって、前に進めなくなり、何も生み出せなくなるという大きなリスクにも目を向ける必要があります。

38 科学者の言うことは、絶対に正しい？

理系の人が論理的、科学的な話をしているとき、文系の人は往々(おうおう)にして、その発言の

「裏」を探ろうとします。

実際、人の言葉には裏があることが少なくありません。

「表向きはこう言っているけど、本音は違うのでは」

「この人がこう言うのは、何か理由があるのでは」

と考えがちな文系の人は、相手の発言の真意を読み取り、的確な対応や円滑なコミュニケーションをすることに長けているともいえます。

でも、科学的な話には「裏」はありません。

いいかえれば、もし裏があったとすれば、その時点で、その話は科学的でも論理的でもないということです。

たとえば、IPCC（気候変動に関する政府間パネル）は、地球温暖化に関する科学的な研究を集め、評価を行う国際的な機関です。世界各国の専門家が最新の論文を精査し、それをもとにいま人類がなすべきことは何かを提言します。

その提言は、各国の政策には立ち入らず、あくまでも科学的な事実を述べるものです。

ところが、そのＩＰＣＣの提言に対しても、「裏がある」と考える人たちがいます。

「ＩＰＣＣがそう言うのは、それによってお金が儲かる人がいるからだ」

というような陰謀論を展開するのです。

でも、科学的な事実に、損得勘定や、好悪などの感情が入り込む余地はありません。うがった見方をすることは無意味です。

一方で、**科学者や専門家の言うことが、必ずしもすべて正しいというわけではありません。**科学者のあいだで、意見が１００パーセント一致することもありません。

ある時代に多くの科学者によって正しいとされていた説が、１００年後には否定されるということも当然あります。

それどころか、「ネイチャー」などの一流科学論文雑誌に掲載された論文が、わずか数カ月後に撤回されることもあります。

科学者もまちがうことはあります。そのことは、つねに頭の片隅に置いておく必要があるでしょう。

とはいえ、現時点で、科学者のあいだでおおむね意見が一致している説については、参考にするべきだと思います。

では、科学者の意見が食い違っている場合、誰(だれ)の意見を信じればいいのでしょうか。

たとえば、新型コロナウイルスの感染拡大のような世界的な危機においては、たくさんの専門家からさまざまな意見が出されます。なかには、同じ分野の専門家どうしがまったく別のことを言っていることもあります。

そのときに何を信じるかは、自分で考え

て判断するしかありません。というのも、**何が正しいのかは、事象が進行中の時点では誰にもわからない**からです。

その判断に際しては、**無意識に自分が信じたい意見にあった情報ばかりを取り込み、「フィルターバブル」や「エコーチェンバー現象」の罠に陥ることがないよう、注意する**ことが必要です。

専門家の意見が異なる場合は自分で判断するしかない

39 「楽しい」に気づけば垣根を越えられる

文系から理系へのアプローチとは反対に、理系の人が「文系センス」を取り入れたいと思う場合は、どうしたらいいのでしょうか。

一つは、「表現にふれる」ことだと思います。小説や漫画を読む。映画やアニメを観る。そういうものから得られる情報は、それほど多くないかもしれません。でも、そこにある、**豊かな表現の世界にふれることが重要**なのです。

人間生活においては、すべてが論理だけで割り切れるものではなく、感情の機微を理解したり表現したりすることも不可欠です。

私の理系の友人にも、本をあまり読まない人が少なからずいます。自分の専門分野の論文などは読みますが、娯楽(ごらく)としての読書はほとんどしないという人がめずらしくありません。

「なぜ、本を読まないのか」

と、彼らにたずねると、

「役に立つわけではないから」

という、いかにも論理を好む理系の人間らしい答えが返ってくることがあります。

でも、読書は、役に立つからするものではありません。

本や漫画を読んだりすることは「遊び」です。その意味では、理系の彼らが論文の世界で遊んでいるのと同じです。

別種の楽しい遊びの世界があるのに、それにまったくふれないのはもったいないことです。それは、理系、文系のどちらにもいえることです。

海外で仕事をしている私の友人が、日本に一時帰国する際、現地で一緒に働いている日本人の部下から、ある漫画の最新刊を日本で買ってきてほしいと頼まれたそうです。

その友人は合理主義者で、仕事でも生活でも、極力、無駄を排するやり方を貫いており、読書はほとんどしません。漫画にいたっては、くだらないものとさえ思っていました。当然、その部下からの頼みも一蹴したのですが、部下は彼にその漫画の第1巻を突きつけ、こう迫ったそうです。

「30分でいいから時間をとって、これを読んでください。そのうえでなおくだらないと思うのであれば、私のお願いは却下していただいてかまいません」

そこまで言われれば、読まないわけにはいきません。そして、30分後、彼は見事にその漫画にはまっていました。彼がそれまでの人生で不要と考え、排してきた領域に、豊かな別世界があったのです。

つまらないとか、くだらない、という決めつけをせず、**他人がおもしろがっているものをのぞいてみることが、自分自身の世界を広げる**ことにつながります。

たとえば、年齢を重ねると、だんだん漫画を読まなくなるようですが、子供たちが夢中になっている『鬼滅の刃』（吾峠呼世晴・作）はどんなものかとのぞいてみて、おもしろそうだと感じたら読めばいいのです。

子供の世界だから立ち入らない、などと考える必要はありません。

理系と文系のあいだの垣根についても、同じことがいえます。

互いに相手の世界におもしろいものがあると知り、それをのぞいてみることが大切だと思います。

理系の人が「公式」に熱中しているのを、「理解できない」で終わりにするのではなく、

「どうしてそんなに熱中できるんだろう？」と、興味をもってすこしのぞいてみましょう。すると、予想もしなかった楽しさに気づいて引き込まれるかもしれません。

どんなことも、楽しくなければ続きません。理系が文系の、文系が理系の世界を「勉強しよう」と思うだけでは、なかなか互いの世界を広げるのは難しいと思います。

相手の世界に、何か自分の知らない「おもしろいもの」があることを知り、その楽しさに気づくことができれば、自然に垣根を越えられると思います。

恋愛がうまくいくのは、理系？ 文系？

相手の世界の「おもしろいもの」に気づけば垣根は越えられる

「恋の悩みを『理系センス』で解決することってできませんか?」

そんな質問を受けたことがありますが、恋愛は、「好き嫌い」という感情の領域に属するものです。

そこでは、「正しいか、正しくないか」という論理は意味をなしません。ですから、理系の人はむしろ、恋愛を苦手に感じる傾向があるのではないかと思います。

たとえば、**異性の容姿や性格などの魅力を数値化して、論理的に相手を選ぶなどということをやったところで、その相手とうまくいくとはかぎりません。**

恋愛においては、コミュニケーション能力や共感力などが重要であり、それは「文系センス」といえるものなので、その意味では文系の人のほうが恋愛は成就しやすいのではないでしょうか。

理系と文系のカップルの場合、文系がただ共感してほしくて話していることに対して、理系が正論で返してしまい、けんかに発展するといったことが起こりがちです。

たとえば、文系がもらしたちょっとした愚痴に対して、

「それは、あなたのこういうところが、よくないんじゃない？」などと理系が指摘して、ただ「大変だね」と言ってほしかっただけの文系が気分を害する、というようなケースです。

この場合、理系のほうに悪気はありません。相手の課題を受けとめ、それに対して論理的に答えを出し、それを述べているだけです。

でも、文系は答えを求めているわけではありません。理系側はまずそれを理解する必要があります。

一方、ここで、文系の人に思い出してほしいのは、「科学の話には裏がない」ということです。

理系の人の論理的発言には「裏」はありません。

理系の人にとってはそれが当たり前のことなので、相手の発言の「裏」を読むことも苦手です。

したがって、言葉のニュアンスのようなものも、感知するのが不得手です。**「真か偽**（ぎ）

か」の理系の世界に、ニュアンスなるものは存在しないからです。

だからこそ、まじめに、まっすぐな正論を返してしまうわけです。理系の人の、ときとして的はずれな正論は、そんな裏のない実直さの表れだと考えれば、怒りはわかないはずです。

ここでも理系と文系が、互いに相手の世界を理解しようと思う気持ちが大事なのかもしれません。

〈著者紹介〉

竹内　薫（たけうち・かおる）

1960年、東京都生まれ。東京大学理学部物理学科卒業。マギル大学大学院博士課程修了。

理学博士。ノンフィクションとフィクションを股にかける、猫好きの科学作家。現在は妻子とともに横浜に在住。

著書に『自分はバカかもしれないと思ったときに読む本』（河出書房新社）、『99・9%は仮説』（光文社）、『理系バカと文系バカ』『「文系？」「理系？」に迷ったら読む本』（以上、PHP研究所）など多数。

装幀＝こやまたかこ
装画＝宮尾和孝
本文イラスト＝伊藤ハムスター
構成＝堀江令子
編集協力・組版＝月岡廣吉郎

YA心の友だちシリーズ

中高生の悩みを「理系センス」で解決する40のヒント

2020年10月22日　第1版第1刷発行

著　者　竹内　薫
発行者　後藤淳一
発行所　株式会社ＰＨＰ研究所
東京本部　〒135-8137　江東区豊洲5-6-52
児童書出版部　☎03-3520-9635（編集）
普及部　☎03-3520-9630（販売）
京都本部　〒601-8411　京都市南区西九条北ノ内町11
PHP INTERFACE　https://www.php.co.jp/

印刷所　株式会社光邦
製本所　東京美術紙工協業組合

ISBN978-4-569-78951-4

NDC370 159p 20cm